MANUAL

DE INSTALACIÓN
Y REPARACIÓN DE APARATOS
ELECTRODOMÉSTICOS

INSTALACIONES ELÉCTRICAS E HIDRÁULICAS

A MI HIJA PAOLA

Gilberto Enríquez Harper
Profesor titular de la Esime-IPN

Manual

DE INSTALACIÓN
Y REPARACIÓN DE APARATOS
ELECTRODOMÉSTICOS

INSTALACIONES ELÉCTRICAS E HIDRÁULICAS

LIMUSA
NORIEGA EDITORES

MÉXICO • España • Venezuela • Colombia

Enriquez Harper, Gilberto
Manual de instalación y reparación de los aparatos
electrodomésticos / Gilberto Enriquez Harper. -- México :
Limusa, 2005.
341 p. : il. ; 21 cm.
ISBN: 968-18-6382-8

I. Electrodomésticos - Conservación y reparación

LC: TK7018   Dewey: 620.'0046 dc21

© 2005, EDITORIAL LIMUSA, S.A. DE C.V.
GRUPO NORIEGA EDITORES
BALDERAS 95, MÉXICO, D.F.
C.P. 06040
☎ 8503 8050
   01(800) 706 9100
🖨 5512 2903
✉ limusa@noriega.com.mx
   www.noriega.com.mx

CANIEM NÚM. 121

HECHO EN MÉXICO
ISBN 968-18-6382-8
2.1

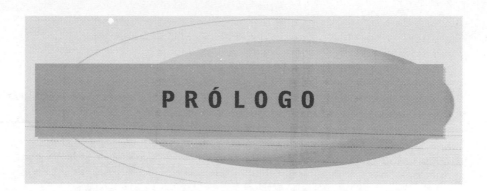

PRÓLOGO

Cuando se hace una instalación, ya sea de tipo eléctrico, hidráulico, de gas o sanitaria, se espera que tenga un comportamiento satisfactorio durante un buen número de años y no requiera de reparaciones dándole un mantenimiento mínimo. En el caso de los aparatos electrodomésticos, se podría esperar una cosa semejante; sin embargo, algunos son de uso relativamente intensivo y requieren de mantenimiento frecuente y con mayor periodicidad de algunas reparaciones.

Estos trabajos de mantenimiento y reparación pueden ser relativamente simples, pero es necesario tener los conocimientos básicos para ello.

En este libro, se presentan en forma integrada los trabajos sobre las instalaciones electromecánicas en las casas y la reparación de los llamados electrodomésticos mayores. Estos temas son tratados con suficiente detalle, con un enfoque práctico y profusamente ilustrados para facilitar la comprensión de los lectores.

Como es sabido, un trabajo de esta naturaleza no es obra de una persona, por lo que quiero expresar mi agradecimiento a las personas que han hecho posible la publicación de este libro: la Lic. Aida A. García Bonola, la Sra. María del Carmen Banda y el Ing. Alejandro Frías Martínez, a quienes expreso mi sincero agradecimiento.

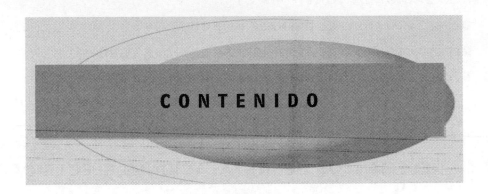

CONTENIDO

CAPÍTULO 3
ELEMENTOS DE INSTALACIONES ELÉCTRICAS

CAPÍTULO 4
REPARACIONES ELÉCTRICAS

CONTENIDO

CAPÍTULO 5
PRINCIPIOS BÁSICOS PARA LA REPARACIÓN DE ELECTRODOMÉSTICOS

CAPÍTULO 6
REPARACIÓN DE ELECTRODOMÉSTICOS MAYORES

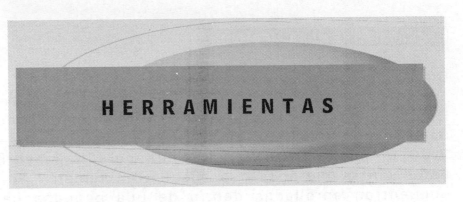

HERRAMIENTAS

1.1 INTRODUCCIÓN En la reparación y mantenimiento de instalaciones y aparatos electrodomésticos, se requiere de un grupo básico de herramientas y probadores, y aún cuando la mayoría de las casas cuenta siempre con algunas herramientas, es necesario revisar cuáles se requieren, para qué aplicación son más convenientes y cómo se deben usar de una manera segura.

Es importante que se use la herramienta correcta para el trabajo requerido, por ejemplo, no se deben usar pinzas cuando se requiere de una llave, o bien, no usar una llave ajustable cuando es necesario aplicar una llave española de medida fija.

En el caso de los destornilladores o desarmadores, el uso incorrecto de la medida requerida, puede causar que se desboque la cabeza del tornillo, por esta razón, se recomienda usar la herramienta apropiada.

1.2 HERRAMIENTAS DE MANO. Las herramientas de mano de buena calidad, usadas en forma apropiada y con el mantenimiento adecuado, producen un trabajo de calidad. En este párrafo, se hace una introducción a las herramientas de mano que se requieren para la mayoría de los trabajos de reparación en las instalaciones de casas y de los aparatos electrodomésticos.

HERRAMIENTAS PARA MEDICIÓN.

CINTA DE MEDIR

Debido a que muchos proyectos requieren de mediciones precisas, se debe disponer de una cinta metálica para medir, por ejemplo, una de 3.00 m puede resultar apropiada para la mayoría de los proyectos. Estas cintas metálicas se encuentran también en fibra de vidrio y se encuentran enrolladas dentro de una pequeña caja metálica, algunas tienen un resorte de retorno y un "seguro de dedo" para que la cinta se regrese y quede fija. La cinta generalmente está cubierta de una capa protectora contra la abrasión y el uso.

CINTA DE MEDIR FLEXIBLE

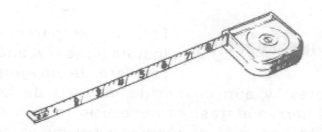

CINTA DE MEDIR FLEXIBLE
PARA TRABAJOS DE MEDICIÓN

LÍNEA DE GIS PARA TRAZO

Cuando en un proyecto se requiere hacer una línea larga recta para propósitos de corte, ayuda mucho usar una **línea de gis**, que tiene un contenedor que se debe asegurar que esté lleno de polvo de gis o yeso antes de iniciar. Se amarra la cinta a una uña en un extremo del material que se va a medir, o bien otra persona lo debe sostener, se tensa la cinta entre los dos puntos que se desea la línea y se suelta después de estirar, una sola vez para que se quede un solo trazo.

LÍNEA DE GIS PARA TRAZO

NIVEL DE CARPINTERO

El llamado nivel de carpintero es útil para trabajos con madera, para albañilería, para tapizado sirve para asegurarse que una superficie esté nivelada o emplomada. Se coloca el nivel plano sobre la superficie y cuando la burbuja en la ventanilla está en la parte central, se dice que está a nivel. Normalmente se usa un nivel de 60 centímetros de longitud.

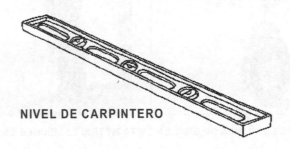

NIVEL DE CARPINTERO

También se necesita al menos otro tipo de instrumento de medición básico, que se conoce como una **ESCUADRA**, que vienen en varios tipos, pero uno de los más comunes en todas las versiones, es una combinación de escuadra, como la mostrada en la figura, esta no sólo es una herramienta de medición precisa (mide milímetros o fracciones de pulgada), también permite medir ángulos rectos (90°), así como ángulos de 45°.

Adicionalmente, la mayoría de los modelos tienen integrada una burbuja de nivel, para verificar superficies horizontales o como una herramienta para checar superficies verticales.

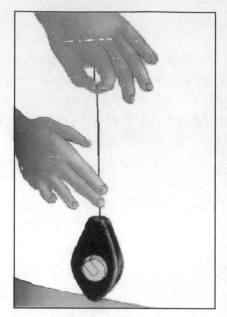

USO DE LA LÍNEA DE GIS Y LA CINTA MÉTRICA FLEXIBLE EN MUROS

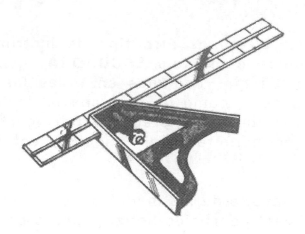

COMBINACIÓN DE ESCUADRA

DESTORNILLADORES O DESARMADORES.

Hay dos tipos básicos o estilos de desarmadores: el Plano y el Phillips. El convencional de hoja plana sirve para tornillos con ranura ordinaria y el tipo phillips o de cruz se usa en tornillos con cabeza de cruz, en realidad la mayoría de los tornillos que se pueden adquirir y se usan, tienen cabeza con ranura convencional, mientras que los tornillos con cabeza de cruz, se usan frecuentemente por los fabricantes para ensamblar aparatos electrodomésticos, muebles, juguetes, etc. Por lo tanto, ambos tipos de desarmadores se deben incluir en una caja de herramienta básica.

DESTORNILLADOR PHILLIPS

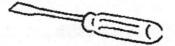

DESTORNILLADOR PLANO

De hecho, se pueden requerir varios tamaños de cada tipo, al menos tres o cuatro desarmadores con punta plana de varios largos, más un desarmador de hoja muy delgada para tornillos muy finos. Se requieren al menos dos desarmadores Phillips o de cruz, uno con cabeza estándar y otro con cabeza fina.

En adición a la variación en el tamaño de la hoja, los desarmadores también varían en longitud, con longitudes que generalmente se incrementan en la medida que las hojas son más delgadas y pesadas.

Un desarmador que es muy popular en su uso, es el llamado tipo **corto** o **trompo**, que tiene unos 4 centímetros de longitud y que permite el acceso a lugares estrechos en donde un desarmador de longitud normal no puede accesar.

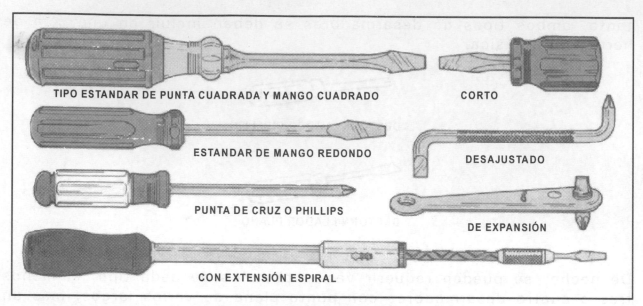

DISTINTOS TIPOS DE DESARMADORES

Tipo estandar de punta cuadrada y mango cuadrado — CORTO — ESTANDAR DE MANGO REDONDO — DESAJUSTADO — PUNTA DE CRUZ O PHILLIPS — DE EXPANSIÓN — CON EXTENSIÓN ESPIRAL

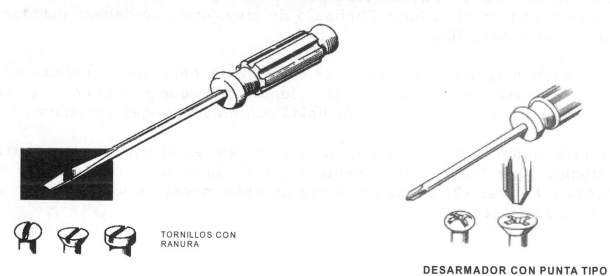

TORNILLOS CON RANURA

DESARMADOR ESTANDAR DE TIPO PLANO

DESARMADOR CON PUNTA TIPO PHILLIPS PARA TONILLOS DE CRUZ

DESARMADOR CORTO

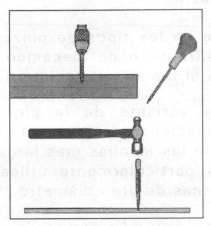

HERRAMIENTAS PARA PERFORAR

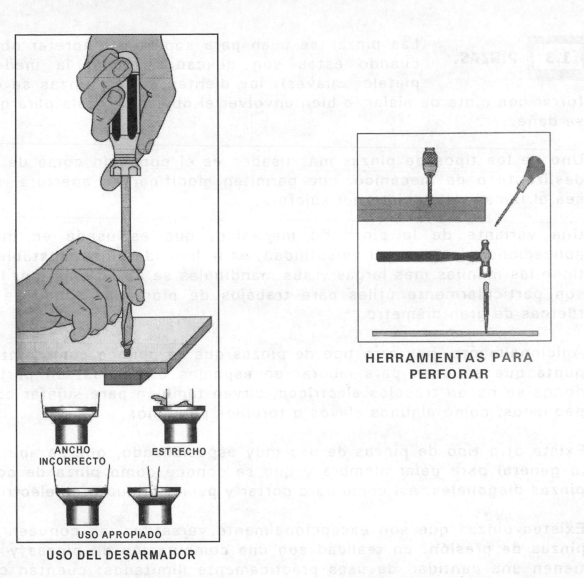

ANCHO INCORRECTO   ESTRECHO

USO APROPIADO

USO DEL DESARMADOR

Otro desarmador que proporciona una ayuda invaluable en cierto tipo de trabajo, es el que usa una extensión y del cual existen varias versiones, pero la más común es aquella que tiene una extensión espiral con medio de sujeción a base de resortes.

Cuando se usa un desarmador, se debe tratar de seleccionar uno con punta que prácticamente llene la ranura del tornillo y que sea en práctica del mismo ancho de la cabeza del tornillo y se debe recordar que los desarmadores no se deben usar como cinceles, para hacer perforaciones o como barra para hacer palanca.

1.3 PINZAS.

Las pinzas se usan para soportar o apretar objetos, cuando éstos son delicados (como la madera o metales suaves), los dientes de las pinzas se deben forrar con cinta de aislar, o bien envolver el objeto con tela para que no se dañe.

Uno de los tipos de pinzas más usados es el conocido **como de unión deslizante o de mecánico**, que permiten modificar su apertura, según sea el tamaño del objeto por sujetar.

Una variante de la pinza de mecánico, que es usada en muchas aplicaciones debido a su versatilidad, es la llamada pinza ajustable, que tiene las manijas más largas y sus mandíbulas se abren más, por lo que son particularmente útiles para trabajos de plomería, donde se usan tuercas de gran diámetro.

Adicionalmente, hay otro tipo de pinzas que se conoce como **pinzas de punta** que se usan para laborar en espacios estrechos; en particular donde se hacen trabajos eléctricos, sirven también para sujetar objetos pequeños, como algunos clavos o tornillos pequeños.

Existe otro tipo de pinzas de uso muy especializado, que se aplica por lo general para pelar alambre y que se conoce como **pinza de corte o pinzas diagonales**, así como para cortar y pelar conductores eléctricos.

Existen pinzas que son excepcionalmente versátiles, se conocen como **pinzas de presión**, en realidad son una combinación de pinzas y llave, tienen una cantidad de usos prácticamente ilimitados; cuentan con la propiedad de que se pueden cerrar sus mandíbulas a presión y mantener esta posición por medio de un mecanismo.

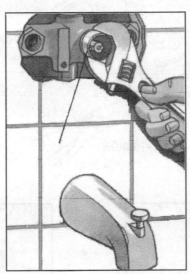

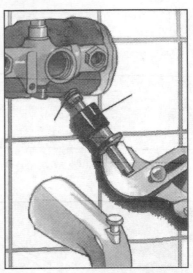

DESARMADOR PHILLIPS USADO
PARA RETIRAR LOS TORNILLOS
DE UNA MANIJA

USO DE PERICO PARA RETIRAR
UNA TUERCA

USO DE LAS PINZAS AJUSTABLES
PARA RETIRAR EL CARTUCHO DE
UNA LLAVE

APLICACIONES DEL DESARMADOR PHILLIPS, LA LLAVE AJUSTABLE Y LAS PINZAS A TRABAJOS DE PLOMERÍA

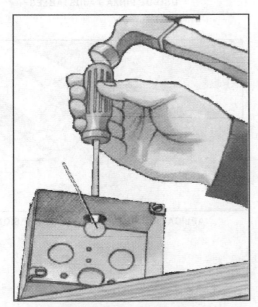

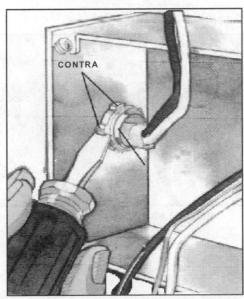

USO DEL MARTILLO Y DESARMADOR
PARA ABRIR LA ENTRADA DE UNA
CAJA DE CONEXIONES

APLICACIÓN DEL DESARMADOR CORTO
PARA APRETAR CONTRAS Y MONITORES
EN UNA CAJA DE CONEXIONES

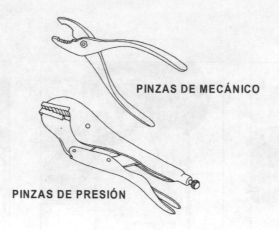

PINZAS DE MECÁNICO

PINZAS DE PRESIÓN

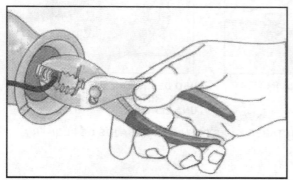

USO DE PINZAS TIPO MECÁNICO

USO DE PINZAS AJUSTABLES

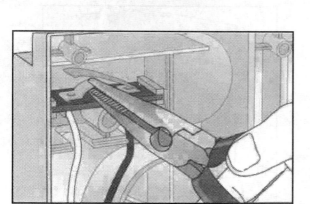

USO DE LAS PINZAS DE PUNTA

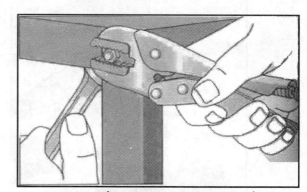

APLICACIÓN DE LAS PINZAS DE PRESIÓN

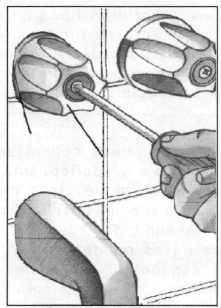

USO DEL DESARMADOR TIPO PHILLIPS
EN UNA INSTALACIÓN DE BAÑO

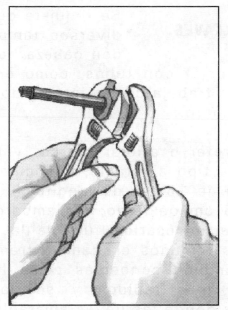

USO DE LLAVES AJUSTABLES (PERICO)
PARA AFLOJAR TUERCAS

1.4 MARTILLOS.

Hay diferentes tipos de martillos, pero quizás se requiera sólo de uno para la mayoría de los trabajos de reparación, este es el llamado **martillo de carpintero** con abrazadera curvada que permite desclavar clavos, un martillo de 200 gramos puede resultar adecuado, se debe procurar que la cabeza del martillo esté bien acabada y pulida para evitar la posibilidad de que cuando se clava se doblen accidentalmente los clavos. Antes de iniciar un trabajo con martillo, se debe checar la cabeza del mismo para determinar si está floja, ya que cuando lo está, se puede salir del mango y volar por el aire, lo cual resulta muy peligroso. Cuando se hace trabajo sobre muebles o accesorios se puede encontrar otro tipo de martillo o mazo con cabeza de madera, hule o plástico.

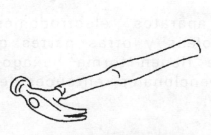

MARTILLO DE CARPINTERO

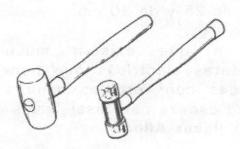

MAZO DE MADERA Y DE PLÁSTICO

1.5 LLAVES.

Se requiere de varios y distintos tipos de llaves, en diversos tamaños para apretar tornillos y tuercas con cabeza hexagonal o cuadrada, y adicionalmente para trabajar con tubos, como en el caso de las labores de plomería, donde se trabaja con objetos redondos, se requiere de una llave Stillson o de plomero.

Para apretar o aflojar tuercas y tornillos, se puede comenzar con dos llaves de tipo ajustable, conocidas como **llave de perico,** una debe ser pequeña de 15 cm de longitud y la otra más grande, debe medir entre 16 y 25 cm de largo; sin embargo, si se hace más trabajo mecánico, puede ser necesario el uso de llaves con mandíbulas fijas, fabricadas en distintos tamaños en cada extremo.Las llaves pueden ser de extremos fijos, también conocidas como **llaves españolas,** las cuales permiten trabajos más rápidos y son adicionalmente más manipulables en espacios donde las llaves ajustables resultan difíciles de manejar.

En lugar de las llaves de extremos abiertos o españolas los que hacen trabajos mecánicos prefieren usar llaves cerradas, conocidas **como de astrías,** o bien una combinación de llaves, en un extremo abiertas y en el otro de astrías o tipo caja.

Las llaves de plomero, también conocidas como **llaves stillson** tienen dos mordazas dentadas, una fija y la otra móvil, están diseñadas especialmente para sujetar objetos redondos firmemente, apretando en forma automática entre mayor presión se ejerce con la mano. Para la mayoría de las actividades en las casas, se puede usar una llave stillson de 25 cm de largo, sin embargo, para trabajos de plomería, en donde se requiere emplear tubos, es necesario disponer de dos llaves stillson, una para girar los herrajes o accesorios, o bien el otro tubo de unión, en este caso, conviene comprar las llaves de distinto tamaño, por ejemplo de 25 y de 30 cm.

Debido a que existen muchos aparatos electrodomésticos y herramientas eléctricas que tienen poleas y otras partes que están aseguradas con tornillos ocultos que tienen forma hexagonal y no muestran cabeza para usar llaves convencionales, entonces se usan las llamadas **llaves Allen.**

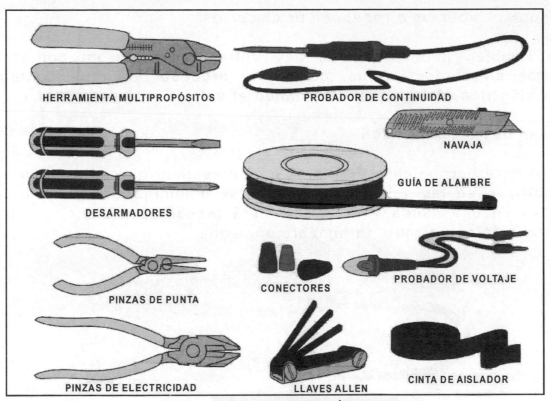

HERRAMIENTA MULTIPROPÓSITOS

PROBADOR DE CONTINUIDAD

NAVAJA

DESARMADORES

GUÍA DE ALAMBRE

PINZAS DE PUNTA

CONECTORES

PROBADOR DE VOLTAJE

PINZAS DE ELECTRICIDAD

LLAVES ALLEN

CINTA DE AISLADOR

HERRAMIENTAS ELÉCTRICAS

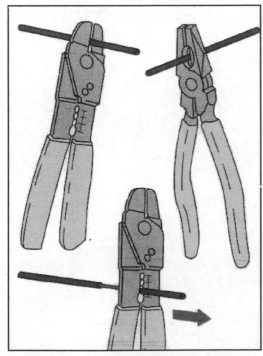

FORMA DE PELAR ALAMBRES CON PINZAS DE ELECTRICISTA

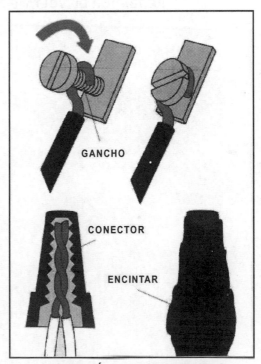

GANCHO

CONECTOR

ENCINTAR

CONEXIÓN DE ALAMBRES

PROBADOR DE VOLTAJE O PROBADOR DE CIRCUITOS

Sirve también para probar si hay voltaje presente en contactos y aparatos electrodomésticos, cuando el probador toca un contacto o salida eléctrica, **debe encender** cuando el voltaje está presente.

LÁMPARA DE PRUEBA DE NEÓN

Esta es otra herramienta para probar la presencia de electricidad en los contactos o en las salidas para lámparas o luminarias. Las puntas se insertan en una salida y el voltaje está presente, o como se dice, el circuito está energizado, la lámpara enciende.

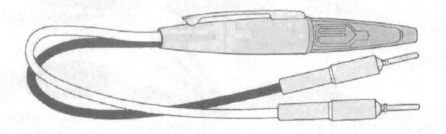

PROBADOR DE VOLTAJE O LÁMPARA DE PRUEBA DE NEÓN

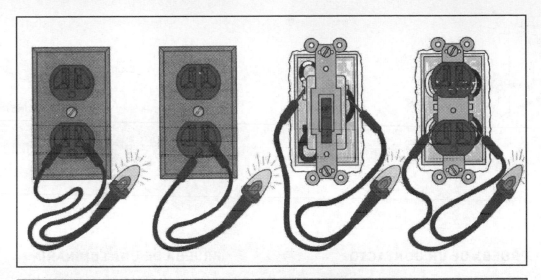

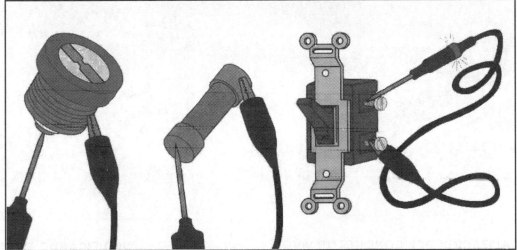

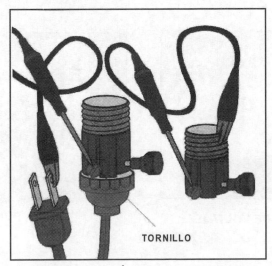

TORNILLO

USO DE LA LÁMPARA DE PRUEBA

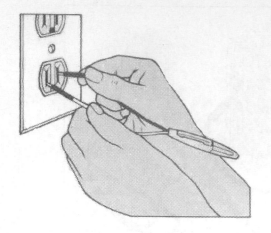

PRUEBA DE UN CONTACTO

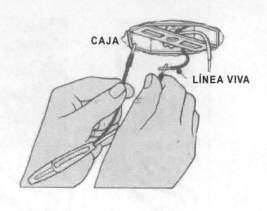

PRUEBA DE UNA LUMINARIA

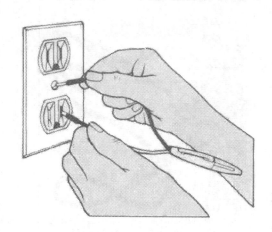

LOCALIZACIÓN DEL CONDUCTOR VIVO

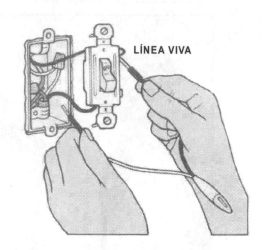

VERIFICANDO TIERRA

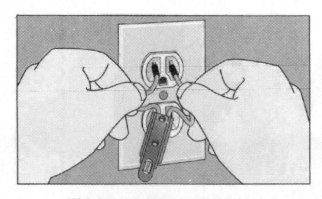

USO DEL PROBADOR DE VOLTAJE

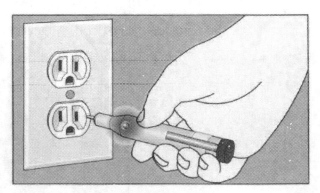

PUNTA DE VOLTAJE

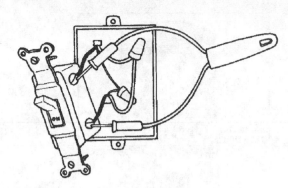

LÁMPARA DE NEÓN USADA PARA PROBAR SI UN SWITCH O APAGADOR TIENE FALLA

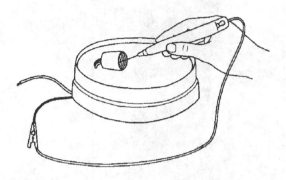

PRUEBA DE UN SOCKET CON EL PROBADOR DE CONTINUIDAD

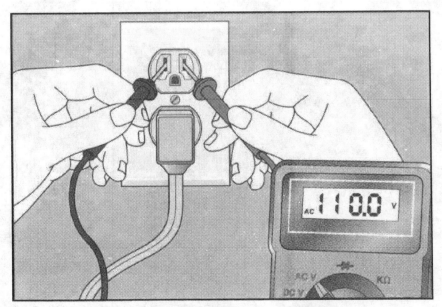

PRUEBA DE VOLTAJE EN CONTACTO

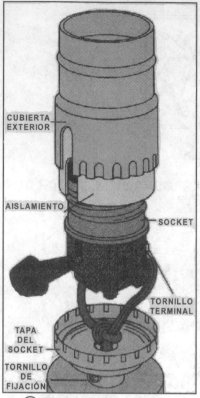

① RETIRANDO EL SOCKET

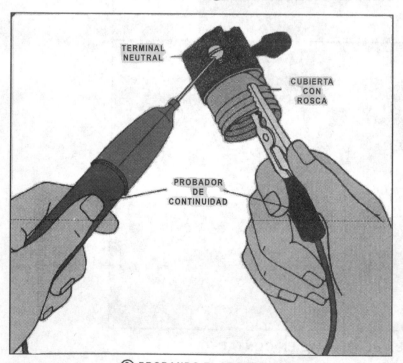

② PROBANDO EL SOCKET

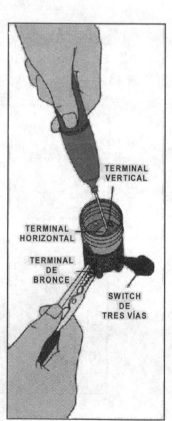

③ PROBANDO EL SWITCH SOCKET

LOCALIZACIÓN DE FALLAS EN UN SOCKET

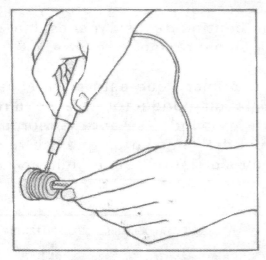

PRUEBA DE UN FUSIBLE DE BASE EDISON

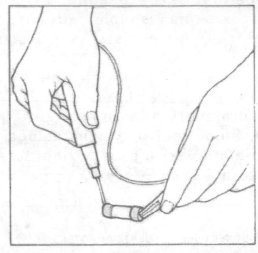

PRUEBA DE UN FUSIBLE TIPO CARTUCHO

PRUEBA DE UN SWITCH DE UNA LÁMPARA

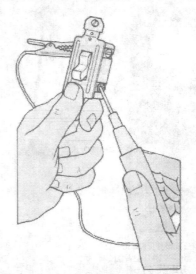

PRUEBAS DE UN SWITCH (APAGADOR)

HERRAMIENTAS OPCIONALES

Además de las herramientas eléctricas antes descritas, se pueden usar algunas herramientas y aparatos opcionales para ciertas aplicaciones como son:

EL AMPÉRMETRO DE GANCHO

Para determinar si algunas componentes están energizadas, sin cortar en el sistema, es muy útil pero un poco más caro el uso de los llamados ampérmetros de gancho. Estos miden la corriente en amperes y en el contexto más simple, sirven para medir continuidad sin necesidad de cortar o abrir el sistema o desconectar la alimentación.

Para usar el ampérmetro se debe asegurar primero que esté en la escala apropiada (0 a 10 A ó a 20 A), se aísla un conductor que se dirija directamente a la componente que se está probando, se abre la mordaza del ampérmetro y se coloca alrededor del elemento que se está midiendo, se cierra la mordaza y si hay corriente, debe indicar una lectura.

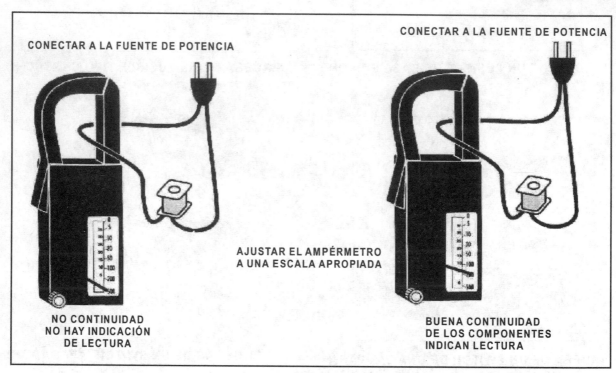

CONECTAR A LA FUENTE DE POTENCIA

CONECTAR A LA FUENTE DE POTENCIA

AJUSTAR EL AMPÉRMETRO
A UNA ESCALA APROPIADA

NO CONTINUIDAD
NO HAY INDICACIÓN
DE LECTURA

BUENA CONTINUIDAD
DE LOS COMPONENTES
INDICAN LECTURA

USO DEL AMPÉRMETRO DE GANCHO

ESPEJO DE INSPECCIÓN EXTENDIBLE

Sirve para observar en lugares difíciles de acceder.

TALADRO DE MANO

Permite hacer perforaciones para fijar elementos, como cajas de conexión, también si equipan con puntas magnéticas para desarmador, permite apretar o retirar distintas clases de tornillos.

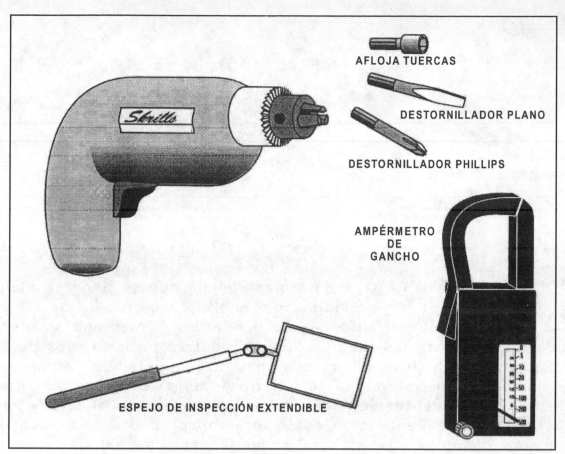

AFLOJA TUERCAS

DESTORNILLADOR PLANO

DESTORNILLADOR PHILLIPS

AMPÉRMETRO
DE
GANCHO

ESPEJO DE INSPECCIÓN EXTENDIBLE

HERRAMIENTAS OPCIONALES

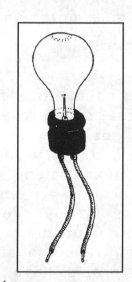

LÁMPARA DE PRUEBA

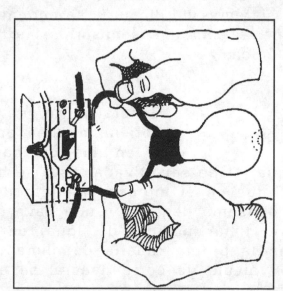

USO DE LA LÁMPARA DE PRUEBA PARA DETERMINAR
SI EL CIRCUITO ESTÁ ENERGIZADO

2

REPARACIÓN DE INSTALACIONES HIDRÁULICAS EN CASAS – HABITACIÓN

2.1 INTRODUCCIÓN

Cuando la experiencia que se tiene en plomería se limita solo a abrir y cerrar llaves de agua, entonces se quedaría una persona sorprendida de la simplicidad de las tuberías que hay detrás de las llaves de agua. De hecho, se podría decir que hay tres sistemas separados e independientes: **el sistema de suministro de agua, el sistema de drenaje y el sistema de ventilación** (generalmente los sistemas de drenaje de desperdicios y de ventilación están interconectados) por lo que antes de iniciar cualquier trabajo de plomería, es una buena idea estar familiarizado con sus componentes, y una vez que se comprende como trabajan los sistemas de plomería se encontrará que hacer ampliaciones y reparaciones e instalar accesorios, no es más que una serie de conexiones lógicas.

2.2 EL SISTEMA DE SUMINISTRO.

Generalmente, el abastecimiento de agua se obtiene de una empresa pública de servicio, o en ciertos casos, de una empresa de suministro que puede ser privada. Esto se hace a través de una tubería subterránea, que en el ingreso al punto de conexión tiene un equipo medidor de consumo de agua y una llave de corte, si en ocasiones el suministro no tiene medidor de agua, entonces la llave de corte se encuentra en la propia tubería de alimentación. Cuando se trata de edificios, la válvula de corte general se encuentra en la entrada del edificio y cada departamento debe tener su propia llave de corte. Algunas veces están localizadas en la parte superior de los edificios, es decir, en la azotea, y desde ahí se controla el corte de agua a cada departamento.

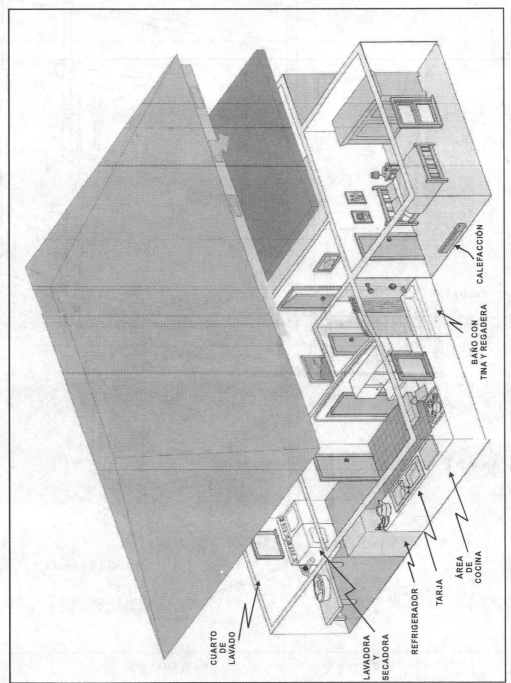

CUARTO DE LAVADO

LAVADORA Y SECADORA

REFRIGERADOR

TARJA

ÁREA DE COCINA

CALEFACCIÓN

BAÑO CON TINA Y REGADERA

EN UNA CASA HABITACIÓN SE REQUIEREN SERVICIOS DE AGUA, ELECTRICIDAD Y GAS PARA DAR MAYOR CONFORT Y TAMBIÉN PARA ALIMENTAR APARATOS ELECTRODOMÉSTICOS.

REPARACIÓN DE INSTALACIONES HIDRÁULICAS EN CASAS-HABITACIÓN

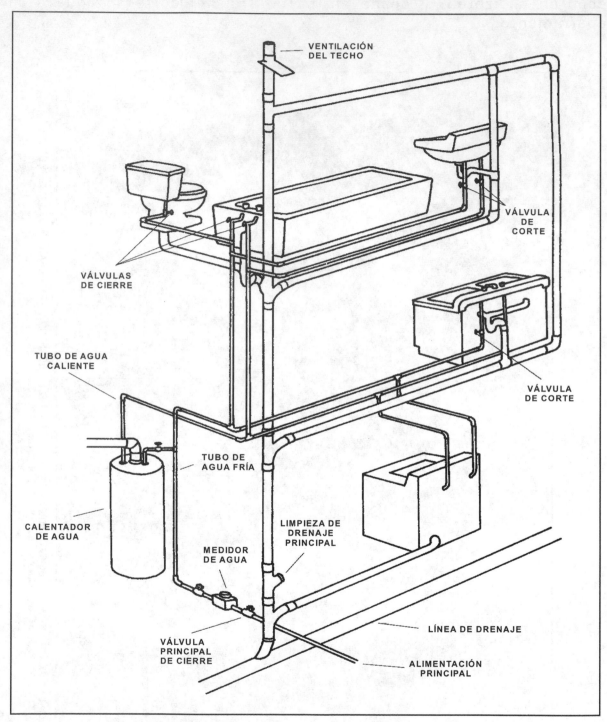

SISTEMA DE PLOMERÍA EN UNA CASA

REPARACIÓN DE INSTALACIONES HIDRÁULICAS EN CASAS-HABITACIÓN

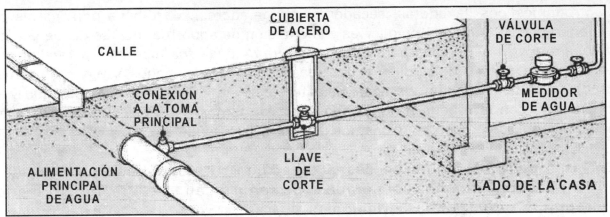

SISTEMA TÍPICO DE ALIMENTACIÓN O SUMINISTRO DE AGUA

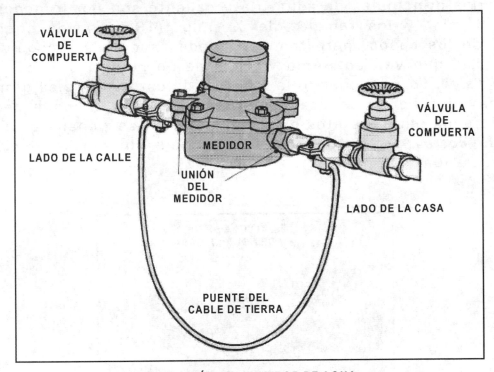

INSTALACIÓN DEL MEDIDOR DE AGUA

El sistema típico de alimentación a una casa, se alimenta del suministro principal de agua municipal, y del lado de la calle tiene una cubierta de acero como tapa y una llave de corte general; a un costado de la casa se tiene el medidor de agua con su válvula de compuerta, usada como válvula de corte local. Una vez dentro de la casa, los ramales de la tubería de suministro van hacia el interior con tubos de menor diámetro para alimentar a todos los accesorios y tomas de agua para electrodomésticos (lavadoras, secadoras, refrigeradores). La tubería principal es por lo general de 19 mm (3/4 pulg), y es alimentación de agua fría, que se divide en dos: *una para alimentar al calentador de agua y otra de agua fría*, contínua para alimentar las tomas o salidas de agua fría de áreas como cocina, baños y externas (en su caso). La tubería principal de agua caliente comienza en el calentador de agua y va en paralelo con la tubería de agua fría hacia las tomas o salidas que usan también agua caliente, como son la cocina, los lavabos y las regaderas.

En las regaderas, como se desea tener control de temperatura, lo ideal es tener sus ramales separados de agua caliente y fría, tomados justamente de las líneas principales.

Las tuberías principales de agua fría y caliente son por lo general de ¾ pulg. (19 mm) y los ramales de ½ pulg. (13 mm), de cobre en la mayoría de los casos, pero también pueden ser de acero galvanizado. Las tuberías que van en forma vertical de un nivel a otro se les llama también *"elevadores"*, cuando la longitud de estos tubos es grande y va en forma superficial, se usan soportes. Al llegar a los accesorios o tomas de agua para aparatos electrodomésticos se tienen por lo **general llaves de corte** para permitir que se trabaje sin cortar el suministro general de agua.

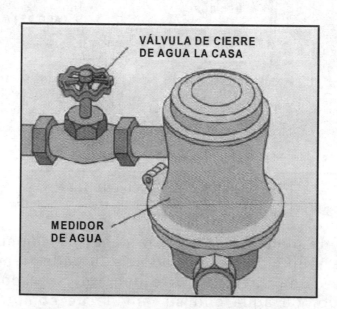

La válvula de corte es por lo general del tipo compuerta y se cierra en el punto donde el agua entra a la casa, se cierra sólo que se trate de una reparación general, ya que cada accesorio o toma para electrodoméstico debe tener su propia llave de corte o válvula de cierre.

LAS VÁLVULAS DE CORTE O CIERRE PARA SALIDAS; accesorios (lavabos, fregaderos de cocina, etc.); **electrodomésticos** (lavadoras, secadoras, etc.) permiten trabajar en sitio sin cortar el agua al resto de la casa.

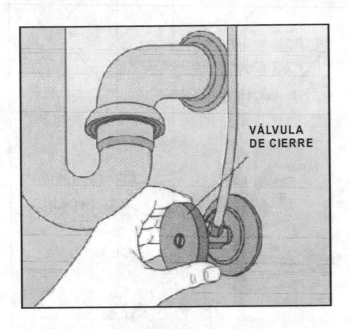

VÁLVULA DE CIERRE

2.3 EL SISTEMA DE DRENAJE DE DESPERDICIOS.

A diferencia del sistema de suministro de agua que lleva el agua presión, el *sistema de drenaje de desperdicios*, usa agua reciclada y lleva los desperdicios fuera de la casa (con la ayuda de la fuerza de gravedad) a través del drenaje principal de la casa hacia el alcantarillado municipal o externo. Estos tubos salen de todos los accesorios (toilets, lavabos, fregadero, etc.) con una pendiente precisa, si la pendiente es muy escarpada, el agua sale muy rápido, dejando a los desechos sólidos detrás, y por el contrario, si no tiene suficiente pendiente, es decir no es muy escarpada, el agua y los desperdicios se drenan muy lentamente y eventualmente pueden regresar a los accesorios. El paso normal es de 6.5 milímetros por cada 30 centímetros de tubo horizontal, los herrajes y accesorios de limpieza permiten el fácil acceso a los tubos horizontales para limpieza de las obstrucciones.

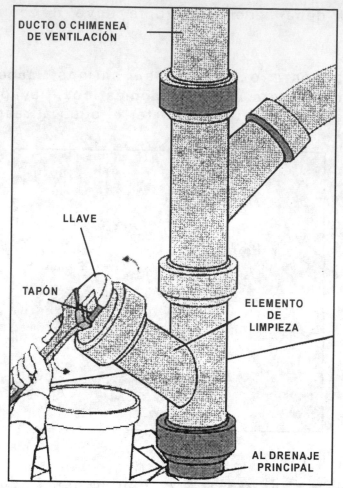

DUCTO O CHIMENEA
DE VENTILACIÓN

LLAVE

TAPÓN

ELEMENTO
DE
LIMPIEZA

AL DRENAJE
PRINCIPAL

DETALLES DE DUCTOS PARA EL SISTEMA DE DRENAJE

2.4 EL SISTEMA DE VENTILACIÓN O DESAHOGO.

Este sistema permite dar salida a los gases de las rejillas o alcantarillas y previene que la presión aumente en los tubos, manteniendo la presión atmosférica dentro de los mismos. Para prevenir gases peligrosos de las alcantarillas hacia la casa, cada accesorio o salida debe tener una trampa que debe estar ventilada. Una trampa o sifón es en forma simple un tramo de tubo doblado, por lo general en forma de **U** que está lleno de agua todo el tiempo para retener los gases que vienen de los drenajes, los dos tipos principales de trampas (sifones) se denominan tipo **p**, y en las casas más viejas aun se encuentran las tipo **s**.

En una casa, por lo general el ducto principal de ventilación tiene un diámetro de 7.5 cm (3 pulg.) a 10.0 cm (4 pulg.) con tubos derivados de 3.5 cm (1 ½ pulg.) a 5.0 cm (2 pulg.) conectados al mismo. Los tubos derivados están conectados a la chimenea arriba o sobre el accesorio más alto que drena sobre la chimenea.

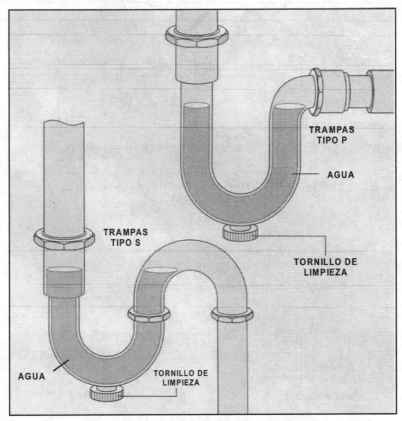

TIPOS DE TRAMPAS O SIFONES

2.5 REPARACIONES EN PLOMERÍA. En esta sección, se mostrará cómo resolver los problemas más comunes de plomería, que en general se podrían solucionar sin tener que recurrir a un experto en reparaciones, algunas como fugas en las llaves de agua, bajo nivel o alto nivel de agua, drenajes tapados, etc.

Muchas de las reparaciones de plomería requieren de cerrar el servicio de agua, para esto, en caso de que no existan, se pueden hacer mucho más sencillas las reparaciones instalando válvulas de corte en todos los accesorios (lavabos, fregaderos, etc.) y de esta manera no es necesario cortar el suministro general de agua.

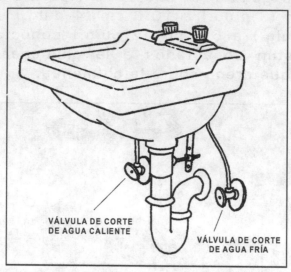

VÁLVULA DE CORTE
DE AGUA CALIENTE

VÁLVULA DE CORTE
DE AGUA FRÍA

SE DEBE DE CORTAR EL AGUA EN EL LAVABO ANTES
DE HACER CUALQUIER REPARACIÓN.

REPARACIÓN DE INSTALACIONES HIDRÁULICAS EN CASAS-HABITACIÓN

PROCEDIMIENTO DE MANEJO DE TUBOS Y HERRAMIENTAS
PARA LA INSTALACIÓN O REPARACIÓN DE VÁLVULAS DE PASO

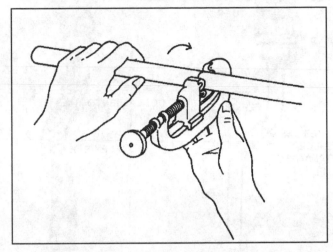

USAR UN CORTADOR DE TUBO PARA CORTAR LA SECCIÓN ROTA DE TUBO

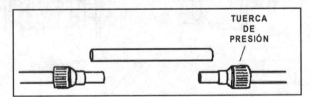

DEJAR LAS DOS TUERCAS DE PRESIÓN
SOBRE LOS EXTREMOS DEL TUBO

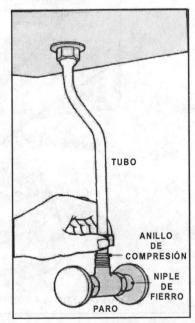

MARCA Y CORTE DE TUBO   CONEXIÓN DE LA VÁLVULA DE CORTE

REPARACIÓN DE INSTALACIONES HIDRÁULICAS EN CASAS-HABITACIÓN

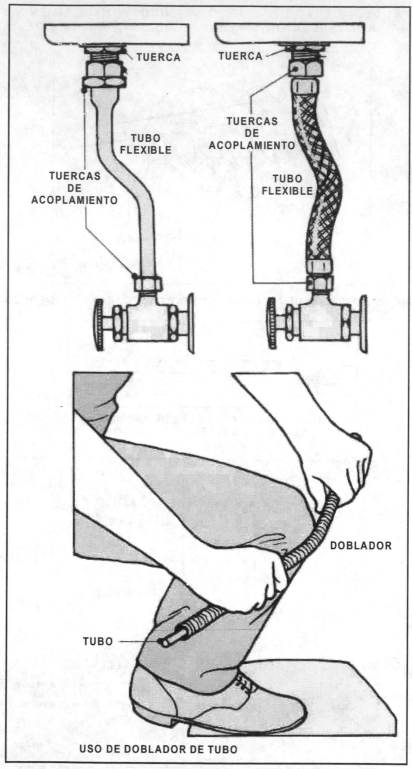

TUERCA

TUERCA

TUBO
FLEXIBLE

TUERCAS
DE
ACOPLAMIENTO

TUERCAS
DE
ACOPLAMIENTO

TUBO
FLEXIBLE

DOBLADOR

TUBO

USO DE DOBLADOR DE TUBO

INSTALACIÓN DE TUBOS PARA VÁLVULAS DE SEGURIDAD

REPARACIÓN DE INSTALACIONES HIDRÁULICAS EN CASAS-HABITACIÓN

DESTAPANDO DRENAJES DE FREGADEROS DE COCINAS Y LAVABOS DE BAÑO.

Un drenaje tapado es siempre frustrante y frecuentemente ocurre cuando se tiene el fregadero lleno de recipientes sucios (platos, vasos, ollas, etc.), sin embargo, no se debe desesperar, el problema se puede resolver fácilmente, en ocasiones, para esto, se puede plantear el problema en la forma siguiente:

PROBLEMA	CAUSA	SOLUCIÓN
Drenaje tapado	➪ Presencia de grasa, partículas de alimentos, etc. ➪ Trampa o sifón tapado. ➪ Basura en el drenaje externo a la casa.	✓ Usar una bomba de hule o un barreno flexible. ✓ Limpiar la trampa o sifón. ✓ Reportar a la oficina correspondiente.

USO DE LA BOMBA DE HULE PARA DESTAPAR EL DRENAJE.

❶ Se deja caer un poco de agua en el fregadero o lavabo.

❷ Se coloca la bomba en la parte que tiene obstrucción.

❸ Se empuja hacia abajo y hacia arriba la bomba.

❹ Se repite la operación varias veces hasta que se quite el bloqueo y el agua fluya.

REPARACIÓN DE INSTALACIONES HIDRÁULICAS EN CASAS-HABITACIÓN

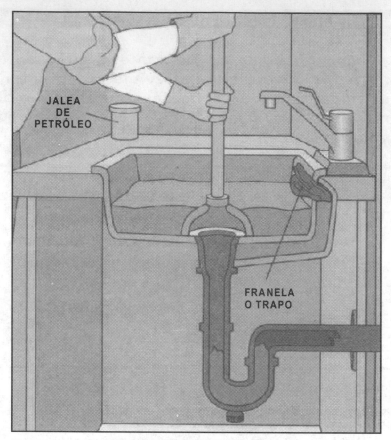

LIMPIEZA CON UNA BOMBA

Se debe seleccionar una bomba con una copa de succión suficientemente larga como para cubrir completamente la boca del drenaje del fregadero o lavabo, *si se quiere hacer más eficiente* este método de trabajo, se puede usar un trapo seco o franela para bloquear las otras salidas, ya que al tapar con agua el nivel de la bomba, el sobre flujo llega a la ranura de ventilación, para hacer más efectiva la adherencia de la bomba al fregadero en la boca del drenaje, se puede aplicar alguna jalea de petróleo alrededor del filo de la bomba para formar un sello perfecto.

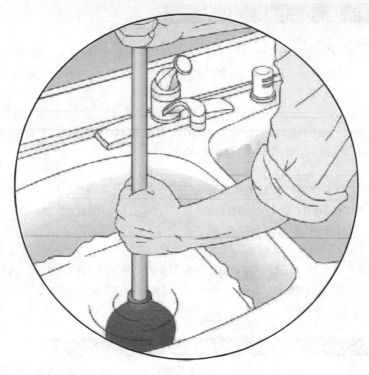

LIMPIEZA DE FREGADERO CON BOMBA

En las cocinas integrales que tienen fregadero y escurridor, se aplica el mismo procedimiento de uso de la bomba para destapar obstrucciones, es decir:

- Se llena el fregadero hasta unos cinco centímetros (5 cm) de agua.

- Se aplica firmemente la base de la bomba al agujero de drenaje del fregadero, para hacer un mejor contacto, como se mencionó, se puede aplicar al borde alguna jalea a base de petróleo.

- Se acciona la bomba varias veces hacia arriba y hacia abajo, observando que el agua que se tiene en el fregadero se vaya por el drenaje.

- Se abre la llave para determinar si el agua se drena o fluye a través del drenaje.

DESTAPANDO DRENAJE CON UNA MANGUERA.

Si el método de destapar el fregadero con una bomba no funciona, entonces se puede usar una manguera de jardín; este procedimiento puede ser muy simple:

❶ Llevar la manguera a una conexión con una llave externa o ajena al drenaje en problema.

❷ Insertar la manguera en el interior del drenaje y enrollar una toalla alrededor y dentro del agujero del drenaje hasta formar una especie de sello.

❸ Otra persona debe abrir la llave externa mientras se mantiene la manguera en el drenaje; esto puede hacer que se destape.

USO DE UNA SONDA O BARRENO PARA DESTAPAR DRENAJES.

En ocasiones el atascamiento puede estar más abajo del tubo, en este caso se necesitara del uso de una sonda o barreno de drenaje, para esto es necesario ensamblar este dispositivo insertando el extremo de la sonda y accionando como si se tratara de un cable. Se puede proceder como sigue:

❶ Colocar una cubeta o recipiente debajo del sifón o trampa para captar los residuos de agua en el drenaje.

❷ Si se trata de una trampa o sifón, se retira el tornillo de limpieza, usando una llave de plomero o llave stillson.

❸ Se inserta la hoja de la sonda o barreno en el interior del tubo que entra al fregadero de cocina o lavabo de baño. Se empuja de manera que la sonda se deslice libremente en el interior del tubo. Cuando se detenga, quiere decir que se alcanzó la parte que está bloqueada, o bien hay alguna curva o doblez en el tubo.

❹ Se debe hacer girar el tornillo de la sonda o barreno en forma manual en la dirección de las manecillas del reloj, lo que permitirá avanzar hacia la parte bloqueada.

❺   Se saca la sonda y se abre la llave de agua para probar el drenaje.

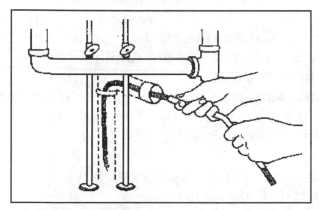

EMPUJAR LA BARRENA AL INTERIOR HASTA QUE TOQUE EL FONDO

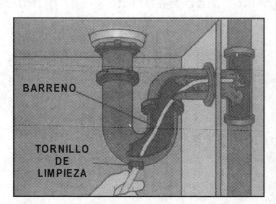

BARRENO

TORNILLO DE LIMPIEZA

SE RETIRA EL TORNILLO DE LIMPIEZA Y SE INSERTA LA SONDA HASTA ALCANZAR LA PARTE BLOQUEADA DEL DRENAJE.

USANDO BARRENO DE DRENAJE

SE INSERTA EL BARRENO O SONDA, RETIRANDO PREVIAMENTE EL LEVANTADOR-SELLADOR (TAPÓN) DEL LAVABO, SE ACCIONA GIRANDO HASTA QUE SE ALCANZA LA OBSTRUCCIÓN.

REPARACIÓN DE INSTALACIONES HIDRÁULICAS EN CASAS-HABITACIÓN

LIMPIEZA DEL SIFÓN O TRAMPA.

Se puede presentar el caso que se requiera limpiar el drenaje del sifón o trampa de un sifón tipo **U** en los lavabos o fregaderos. El sifón tiene agua todo el tiempo para prevenir los gases de las alcantarillas, así como la presencia de alimañas y contaminantes que puedan entrar por la tubería de la calle, en otras palabras, los sifones o trampas juegan un papel importante en las casas e instalaciones hidráulicas y sanitarias de edificios, pero lamentablemente también se tapan o bloquean, por lo que se debe proceder como sigue:

❶ Colocar una cubeta o recipiente para capturar los residuos de agua en el sifón o trampa.

❷ Algunos sifones tienen un tornillo-tapón en el fondo parte inferior, este tapón se puede retirar fácilmente por medio de una llave stillson o un perico (llave ajustable), en caso de que no exista este tapón o tornillo de limpieza, se debe retirar el sifón o trampa totalmente.

❸ Una vez que el tapón o el sifón ha sido retirado, se puede limpiar el sifón con los dedos o con una barrena o sonda.

❹ Reinstalar el tapón o colocar la trampa nuevamente (en su caso), apretando y colocando las juntas, de manera que no se tengan fugas de agua.

❺ Abrir la llave para probar si el problema ha quedado resuelto.

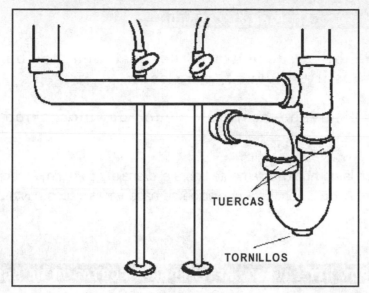

DESATORNILLAR LAS TUERCAS O RETIRAR EL TORNILLO PARA LIMPIAR LA TRAMPA DE DRENAJE (SIFÓN)

RETIRANDO LA OBSTRUCCIÓN DEL DRENAJE DE LAVABOS DE BAÑOS.

Los lavabos de los baños se tapan frecuentemente con una combinación de cabellos, grasa, jabón, pasta de dientes, evitando que el agua pueda fluir en forma apropiada, las posibles causas de falla y sus soluciones se plantean en la tabla siguiente:

PROBLEMA	CAUSA	SOLUCIÓN
Residuos en el drenaje	Desechos en el lavabo, jabón, etc.	▪ Usar una bomba. ▪ Limpiar el tapón del lavabo. ▪ Limpiar el sifón o trampa. ▪ Usar una sonda o barreno.

USO DE LA BOMBA PARA LIMPIAR EL LAVABO.

En primer término, se debe tratar de usar una bomba que es lo más simple para destapar un lavabo, para esto:

❶ Llenar el lavabo hasta alrededor de unos cinco centímetros de agua.

❷ Se coloca la bomba directamente sobre el drenaje y se oprime o bombea hacia abajo y se jala fuerte hacia arriba. Esta operación se hace varias veces hasta que el agua fluya o se drene.

LIMPIEZA DEL TAPÓN DEL LAVABO, RETENEDOR O CORTADOR DE AGUA.

La mayoría de lavabos de baño tienen un cortador de agua, también llamado retenedor o tapón, que está integrado al propio accesorio, excepto en los lavabos viejos que tienen un tapón de hule con una pequeña cadena. Debajo del lavabo y detrás del tubo de agua de drenaje, hay una varilla o brazo pivote que regula el movimiento de arriba-abajo del cortador de agua. El brazo se mantiene en su lugar por medio de una tuerca de retención.

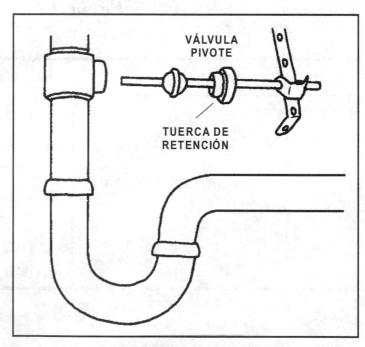

CORTADOR DE AGUA

REPARACIÓN DE INSTALACIONES HIDRÁULICAS EN CASAS-HABITACIÓN

❶   Se jala el tapón retenedor.

❷   Se limpia y reemplaza el anillo.

❸   Se reinserta el tapón y se reconecta el pivote.

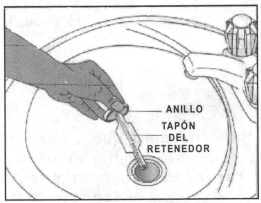

ANILLO
TAPÓN
DEL
RETENEDOR

RETIRO DEL TAPÓN RETENEDOR

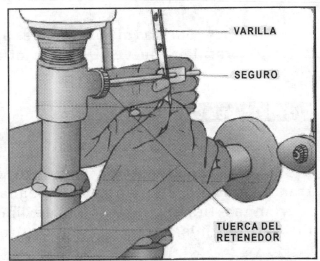

VARILLA

SEGURO

TUERCA DEL
RETENEDOR

AJUSTE DE LA VARILLA DEL RETENEDOR

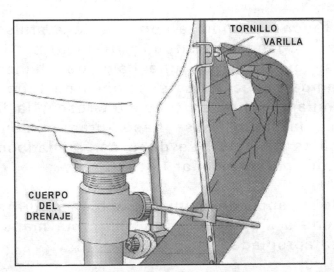

TORNILLO
VARILLA

CUERPO
DEL
DRENAJE

SE FIJA LA VARILLA CON SU
TORNILLO CUANDO SE CONSIDERA
QUE TIENE SU AJUSTE LA POSICIÓN
DEL RETENEDOR O TAPÓN.

**DISTINTAS ACCIONES PARA EL MANEJO DEL RETENEDOR,
COMO PARTE DE LA LIMPIEZA QUE SE DEBE EFECTUAR.**

REPARACIÓN DE INSTALACIONES HIDRÁULICAS EN CASAS-HABITACIÓN

El procedimiento es el siguiente:

❶ Se afloja la tuerca y se empuja el brazo hacia atrás del lavabo, esto levanta el retenedor del agujero del lavabo.

❷ Se limpia el tapón o retenedor y con alguna varilla metálica u otro objeto, el tubo de drenaje, hasta donde se alcance.

❸ Se rearma el brazo, se aprieta la tuerca de retención de la varilla y se verifica que el agua drene.

LIMPIEZA DEL SIFÓN O TRAMPA.

Si el uso de la bomba o de la sonda no funciona para que trabaje el drenaje de un lavabo de baño, entonces es necesario limpiar el sifón o trampa que se encuentra localizada debajo del lavabo. Algunos sifones o trampas tienen un tornillo de limpieza localizado en el fondo o parte inferior del mismo, el procedimiento de revisión es el siguiente:

❶ Se coloca una cubeta o recipiente debajo del sifón, para capturar el agua en el tubo de drenaje.

❷ Se afloja el tornillo o tapón de limpieza con una llave stillson o perico (tipo ajustable). Cuando el sifón o trampa no tiene tornillo de limpieza, se quita usando una llave de plomero o stillson. El sifón o trampa conecta dos secciones de tubo con una tuerca larga atornillada sobre un tubo con rosca, la llave se coloca alrededor de la tuerca y se hace girar en sentido contrario a las manecillas del reloj, se debe ser cuidadoso de no aplicar mucha presión, para no dañar la tuerca.

❸ Una vez que el tornillo o tapón de limpieza, o bien el sifón ha sido retirado, se procede a limpiar el sifón en forma manual o con alguna herramienta apropiada.

❹ Se rearma el tubo de drenaje y tornillo o tapón y se prueba el drenaje.

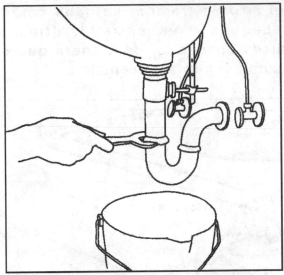

SE PUEDE RETIRAR LA TRAMPA DE DRENAJE PARA LIMPIAR

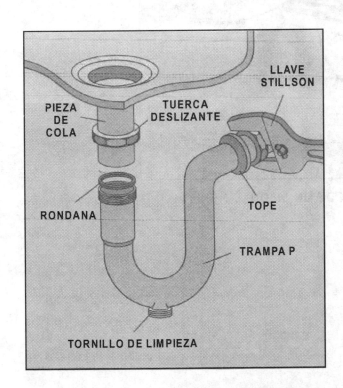

PIEZA DE COLA

TUERCA DESLIZANTE

LLAVE STILLSON

RONDANA

TOPE

TRAMPA P

TORNILLO DE LIMPIEZA

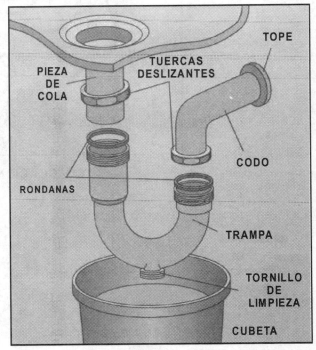

PIEZA DE COLA

TUERCAS DESLIZANTES

TOPE

RONDANAS

CODO

TRAMPA

TORNILLO DE LIMPIEZA

CUBETA

RETIRO DE LA TRAMPA

Después de retirar el sifón o trampa, se debe colocar nuevamente, para esto, se hace uso de una llave ajustable (tipo stillson), procurando colocar todas las partes alineadas, de manera que sin ejercer demasiado apriete, no se produzcan fugas en el ensamble.

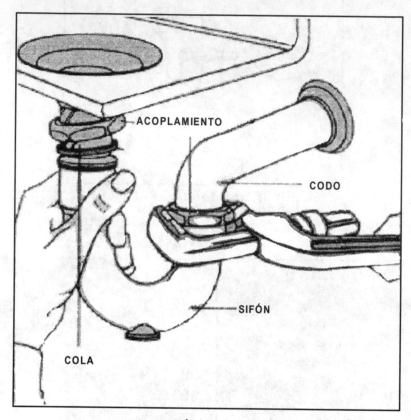

COLOCACIÓN DE UN SIFÓN

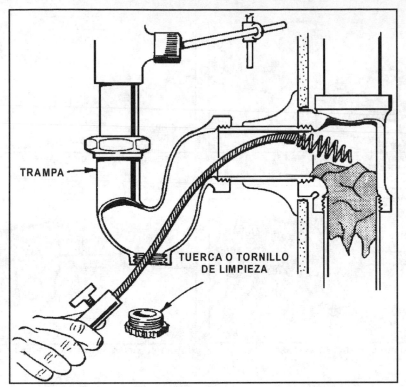

**FORMA DE DESTAPAR UN LAVABO POR LA PARTE
DE ACCESO DE TORNILLO DE LIMPIEZA**

REPARACIÓN DE INSTALACIONES HIDRÁULICAS EN CASAS-HABITACIÓN

SE CIERRA LA VÁLVULA O LLAVE, O BIEN SE RETIRA LA
MANIJA Y SE CIERRA EL TORNILLO.

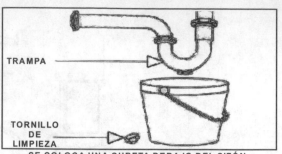

TRAMPA

TORNILLO
DE
LIMPIEZA

SE COLOCA UNA CUBETA DEBAJO DEL SIFÓN

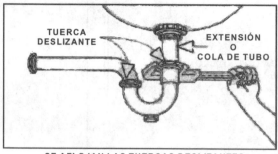

TUERCA
DESLIZANTE

EXTENSIÓN
O
COLA DE TUBO

SE AFLOJAN LAS TUERCAS DESLIZANTES

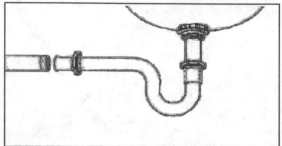

CUANDO EL SIFÓN O TRAMPA ES FIJO SE DESLIZA EL TUBO

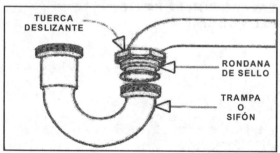

TUERCA
DESLIZANTE

RONDANA
DE SELLO

TRAMPA
O
SIFÓN

CUANDO HAY FUGAS SE REVISAN Y AJUSTAN LOS
SELLOS O RONDANAS

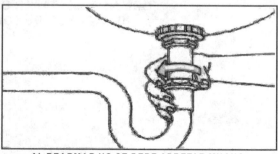

AL REARMAR NO SE DEBE APRETAR MUCHO
PARA EVITAR TRASROSCADO

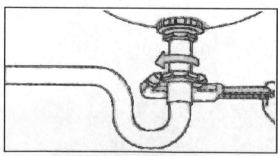

CUANDO SE USA LLAVE AJUSTABLE,
APLICAR CORRECTAMENTE

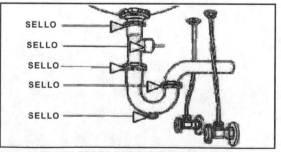

SELLO

SELLO

SELLO

SELLO

SELLO

REVISAR TODOS LOS PUNTOS QUE LLEVAN
SELLOS O RONDANAS PARA EVITAR FUGAS

PASOS PARA LA REVISIÓN DE LA OBSTRUCCIÓN O FUGAS EN LAVABOS

REPARACIÓN DE INSTALACIONES HIDRÁULICAS EN CASAS-HABITACIÓN

USO DE UNA SONDA O BARRENO DE LIMPIEZA PARA DESTAPAR EL DRENAJE DE LAVABOS.

Si todos los métodos descritos anteriormente fallan en la limpieza o retiro de una obstrucción, significa que la obstrucción está localizada más allá del sifón o trampa del drenaje, y entonces será necesario atacar el problema insertando una sonda o barreno dentro del tubo que entra al muro o pared del baño, el procedimiento es el siguiente:

❶ Se coloca una cubeta o recipiente debajo del sifón o trampa para capturar cualquier residuo de agua que quede en el drenaje.

❷ Haciendo uso de una llave stillson o perico (ajustable) se aflojan las tuercas que conectan al sifón o trampa con las dos secciones de tubo, esto para poder retirar el sifón.

❸ Se inserta la punta de la sonda o barreno en el interior del tubo que entra a la pared del baño, permitiendo que la sonda se deslice en el interior del tubo. Cuando la sonda se para, significa que se ha alcanzado la parte obstruida, o bien alguna curva del tubo.

❹ Haciendo movimientos como si se tratara de un tornillo que se aprieta y afloja (en el sentido contrario a las manecillas del reloj) en forma manual, se mueve la sonda en el interior del tubo, para tratar de penetrar en el bloqueo.

❺ Se reinstala la sonda o trampa, teniendo cuidado que no se tengan fugas y se abre la llave de agua para verificar que efectivamente se ha eliminado el bloqueo.

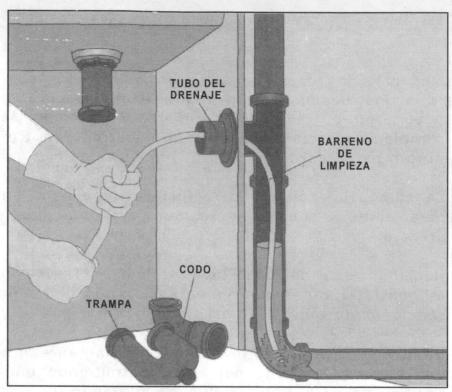

TUBO DEL
DRENAJE

BARRENO
DE
LIMPIEZA

CODO

TRAMPA

SE RETIRA EL SIFÓN O TRAMPA, SE JALA HACIA ABAJO Y SE VACÍA
SU CONTENIDO EN UNA CUBETA ORECIPIENTE.

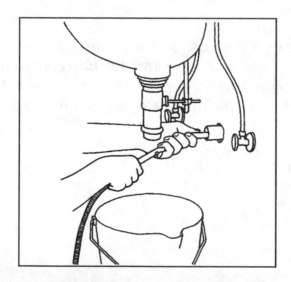

SE INTRODUCE UNA BARRENA EN EL TUBO
DE DRENAJE HASTA QUE LLEGUE AL FONDO

SE MUEVE LA BARRENA O SONDA HASTA QUE TOQUE LA OBSTRUCCIÓN, DESPUÉS SE MUEVE EN
UN SENTIDO Y EN OTRO (SENTIDO DE LAS MANECILLAS DEL RELOJ Y CONTRARIO).

REPARACIÓN DE INSTALACIONES HIDRÁULICAS EN CASAS-HABITACIÓN

2.7 REPARACIÓN DE TOILETS (W.C.).

La forma en como trabaja un toilet (W.C.) resulta ser un misterio para la mayoría de las personas, hasta que algo sucede por fortuna, y lo que podría parecer muy complejo, resultó de hecho muy simple. Básicamente hay dos ensambles considerados: Uno que tiene una válvula de entrada que regula el llenado de tanque y el ensamble de desalojo o drenaje que controla el flujo del agua del tanque a la taza. Tiene incluida la taza del toilet una trampa, la forma en como trabaja se describe a continuación:

Al accionar la palanca, se eleva la varilla (o la cadena en ciertos casos) y el agua pasa a través de la válvula de descarga y baja hacia la taza a través de la trayectoria del flujo por gravedad y por el sifón va a la salida del toilet.

Una vez que el tanque se vacía, la válvula de descarga se vuelve a cerrar, el flotador o la copa en su caso disparála válvula de entrada para permitir la entrada de agua al tanque a través del tubo de relleno, así, mientras el tanque se está llenando, el tubo de relleno de la taza manda algo de agua hacia arriba en la parte superior del tubo de sobreflujo para reponer agua en la taza nuevamente.

En la medida que el nivel del agua en la taza se incrementa, la bola del flotador o la copa se eleva hasta estar suficientemente alta como para cerrar el flujo de agua, completando de esta forma el proceso.

En la medida que el nivel del agua sube, el flotador o la copa sube también hasta alcanzar una altura suficiente como para cerrar el flujo del agua.

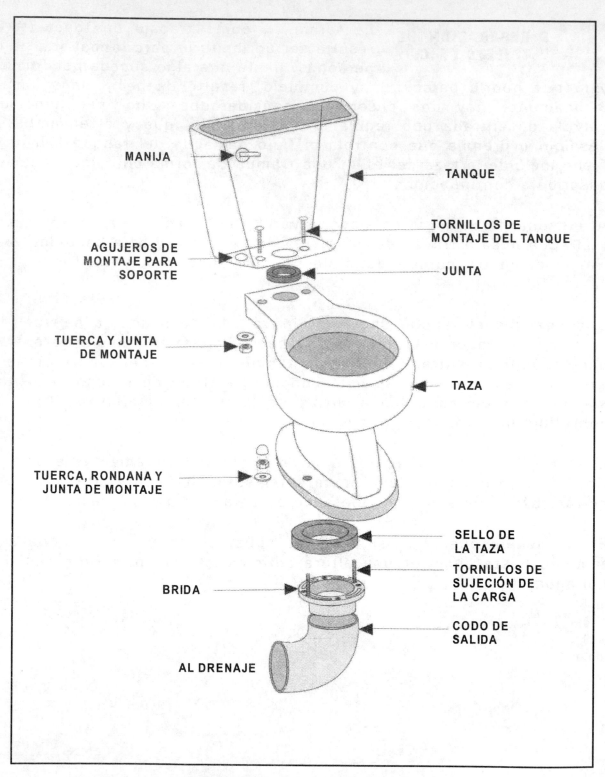

MANIJA

TANQUE

TORNILLOS DE
MONTAJE DEL TANQUE

AGUJEROS DE
MONTAJE PARA
SOPORTE

JUNTA

TUERCA Y JUNTA
DE MONTAJE

TAZA

TUERCA, RONDANA Y
JUNTA DE MONTAJE

SELLO DE
LA TAZA

TORNILLOS DE
SUJECIÓN DE
LA CARGA

BRIDA

CODO DE
SALIDA

AL DRENAJE

ANATOMÍA DE UN W.C. (TOILET)

Para facilitar la reparación de cualquier defecto en un W.C. o toilet , es conveniente identificar las partes que determinan su instalación, así como la forma en cómo se interconectan, como se muestra en la figura anterior.

Algunas de las partes principales que constituyen un W.C. y que es conveniente ubicar porque facilitan cualquier reparación, se muestran en la siguiente figura:

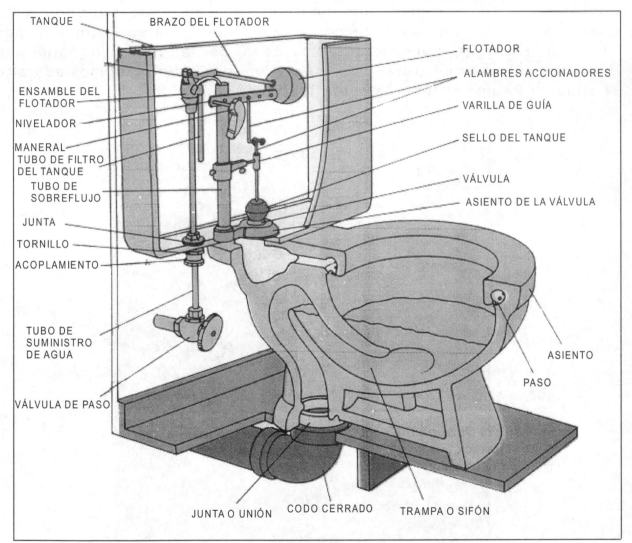

PARTES DE UN W.C.

PROBLEMA	CAUSA	SOLUCIÓN
El toilet o W.C. fluye agua en forma constante.	El nivel del agua está demasiado alto en el tanque.	▪ Ajustar el nivel del agua. ▪ Reemplazar la válvula de cierre.

Los W.C. o toilets que mantienen un flujo de agua contínuo entre descargas, se pueden detectar por el sonido de agua en el tanque, para observar esto, se debe levantar la tapa de la caja o tanque para determinar de que se trata. Cuando el nivel del agua es demasiado alto, el agua se va por el tubo de sobreflujo.

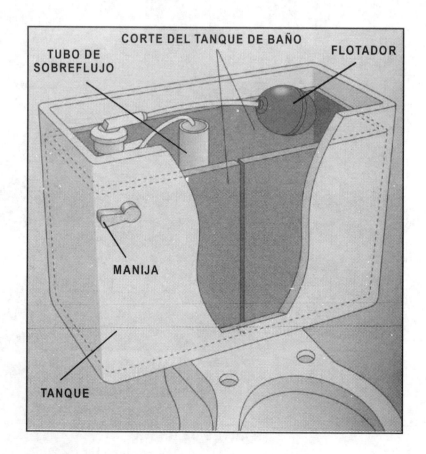

CORTE DEL TANQUE DE BAÑO

TUBO DE SOBREFLUJO

FLOTADOR

MANIJA

TANQUE

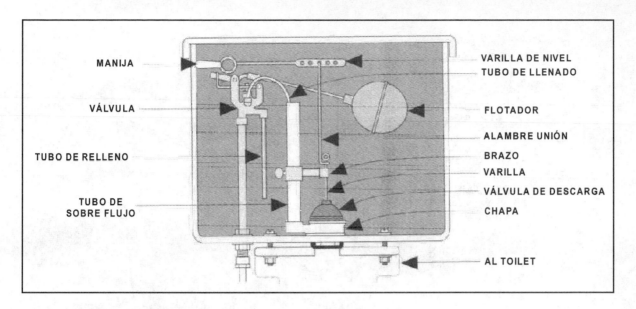

MANIJA

VÁLVULA

TUBO DE RELLENO

TUBO DE
SOBRE FLUJO

VARILLA DE NIVEL
TUBO DE LLENADO

FLOTADOR

ALAMBRE UNIÓN

BRAZO

VARILLA

VÁLVULA DE DESCARGA

CHAPA

AL TOILET

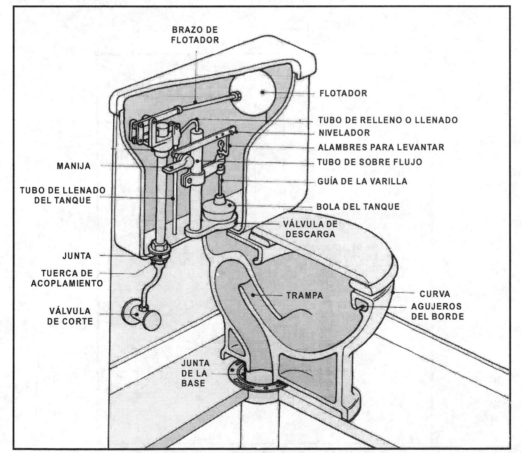

BRAZO DE
FLOTADOR

FLOTADOR

TUBO DE RELLENO O LLENADO
NIVELADOR

ALAMBRES PARA LEVANTAR

TUBO DE SOBRE FLUJO

GUÍA DE LA VARILLA

BOLA DEL TANQUE

VÁLVULA DE
DESCARGA

MANIJA

TUBO DE LLENADO
DEL TANQUE

JUNTA

TUERCA DE
ACOPLAMIENTO

VÁLVULA
DE CORTE

TRAMPA

CURVA

AGUJEROS
DEL BORDE

JUNTA
DE LA
BASE

COMPONENTES BÁSICOS DE UN TOILET

REPARACIÓN DE INSTALACIONES HIDRÁULICAS EN CASAS-HABITACIÓN

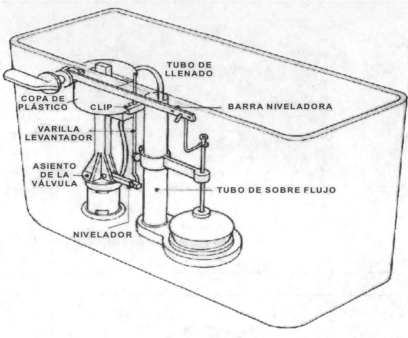

TUBO DE LLENADO

COPA DE PLÁSTICO CLIP

BARRA NIVELADORA

VARILLA LEVANTADOR

ASIENTO DE LA VÁLVULA

TUBO DE SOBRE FLUJO

NIVELADOR

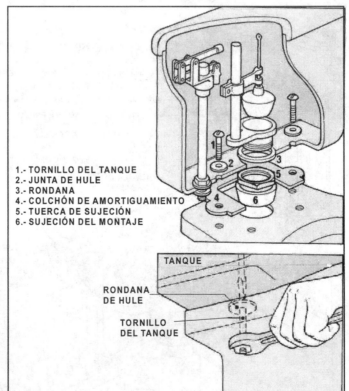

1.- TORNILLO DEL TANQUE
2.- JUNTA DE HULE
3.- RONDANA
4.- COLCHÓN DE AMORTIGUAMIENTO
5.- TUERCA DE SUJECIÓN
6.- SUJECIÓN DEL MONTAJE

TANQUE

RONDANA DE HULE

TORNILLO DEL TANQUE

ENSAMBLE TÍPICO DE UN TANQUE DE TOILET

REPARACIÓN DE INSTALACIONES HIDRÁULICAS EN CASAS-HABITACIÓN

AJUSTANDO EL NIVEL DEL AGUA.

Si se requiere ajustar el nivel del agua, éste se regula por medio de un flotador que se encuentra en el tanque, soportado por un brazo o varilla, el brazo conecta a la bola con la válvula de cierre, en la medida que el agua en el tanque aumente de nivel y la bola o flotador suba, crea una presión hacia abajo en la válvula de cierre, hasta que eventualmente cierre, si se requiere que la válvula de cierre lo haga en forma más rápida, es necesario incrementar el doblado del brazo hacia abajo.

❶   Atornillar la bola o flotador un poco sobre el brazo, de manera que la distancia entre la válvula de cierre y el flotador, se pueda reducir.

❷   Si la bola o flotador está bien atornillada, entonces, en forma cuidadosa se puede doblar el brazo, de manera que la bola o flotador baje con respecto al nivel de agua en el tanque.

❸   Accionar el toilet o W.C. y observar qué tan alto se eleva el nivel del agua en el tanque, si continua elevándose sobre el nivel de la boca del tubo de sobre flujo, significa que la bola o flotador aún está baja con respecto al nivel del agua.

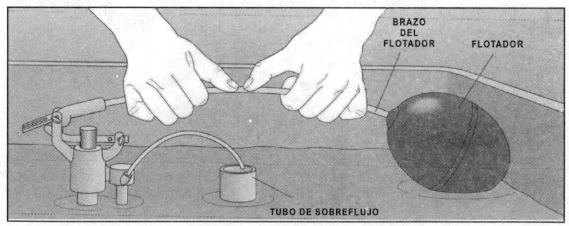

AJUSTE DEL NIVELADOR DE AGUA

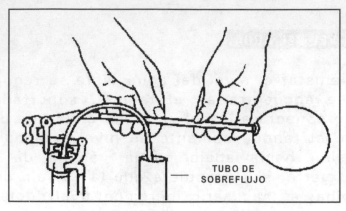

SE DOBLA LIGERAMENTE EL BRAZO DEL FLOTADOR

CAMBIO DEL FLOTADOR.

Cuando el problema se encuentra en el flotador o bola, entonces es necesario reemplazarlo, para esto:

- Se sujeta el brazo o varilla del flotador con unas pinzas de mecánico y se desatornilla la bola.

- Se recubre la rosca de la varilla o brazo con jalea de petróleo, se coloca y atornilla un nuevo flotador.

- Accionar el toilet (W.C.) y ajustar el nivel del agua en caso de ser necesario.

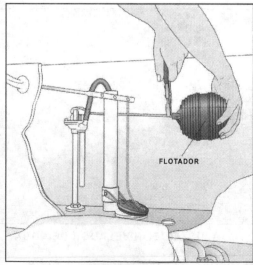

CAMBIO DEL FLOTADOR

REPARACIÓN DE INSTALACIONES HIDRÁULICAS EN CASAS-HABITACIÓN

AJUSTE DE LA CADENA DE LEVANTAR A LA VÁLVULA DE SELLO.

Si la manija o palanca se conserva abajo mientras el W.C. descarga, entonces la cadena es demasiado larga y se debe acortar, para lo cual se engancha el extremo superior en los distintos agujeros del nivelador. En algunas ocasiones se usan pinzas de punta para abrir y retirar algunos eslabones de la cadena. En algunos W.C. viejos, en lugar de la cadena se tiene un alambre y cuando el alambre se atora con la varilla, entonces la descarga es imparable, se debe ajustar para que quede libre.

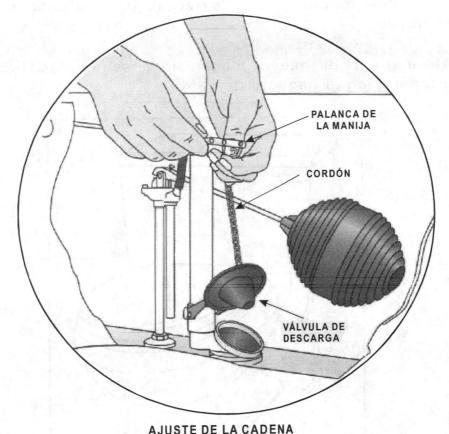

PALANCA DE LA MANIJA

CORDÓN

VÁLVULA DE DESCARGA

AJUSTE DE LA CADENA

CAMBIO DE LA VÁLVULA DE SELLO O DESCARGA.

Ocasionalmente, se presenta este problema por una válvula de sello defectuosa, cuando no se puede cortar el agua o se jala hacia arriba el flotador, entonces se debe reemplazar el mecanismo de la válvula vieja por otro del mismo tipo o por un mecanismo de plástico auto contenido, para esto:

❶   Descargar el W.C. y cerrar la entrada de agua con la válvula de corte que está justo debajo del tanque del W.C.

❷   Colocar una cubeta o depósito debajo del tanque para capturar el agua que en forma residual queda en el tanque. Colocar una llave ajustable (de perico) en la tuerca que se encuentra en el interior del tanque y otra llave ajustable en la otra tuerca debajo del tanque (parte externa) para aflojar y retirar el mecanismo.

❸   Para instalar el nuevo mecanismo, seguir las instrucciones contenidas en el paquete de venta.

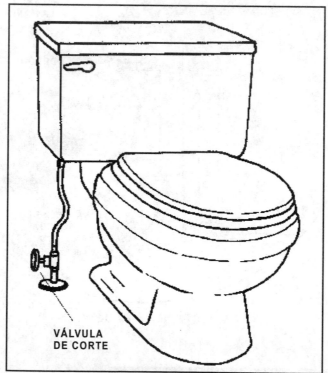

VÁLVULA
DE CORTE

ANTES DE TRABAJAR SOBRE EL TOILET SE DEBE CERRAR LA VÁLVULA DE CORTE DE AGUA EN LA BASE DE ENTRADA

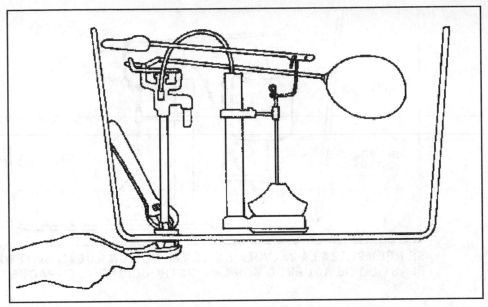

**SE RETIRA EL MECANISMO DE CORTE VIEJO Y EL SISTEMA
DE BOLA CON LA BASE DEL TANQUE**

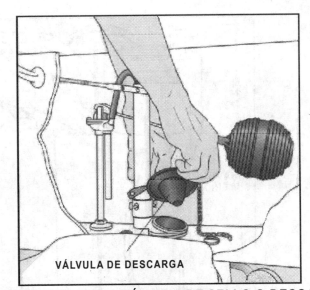

VÁLVULA DE DESCARGA

REEMPLAZO DE LA VÁLVULA DE SELLO O DESCARGA

El nuevo mecanismo plástico regula el nivel del agua de acuerdo con la presión en el tanque. Para incrementar el nivel del agua, se debe girar la perilla en la base del mecanismo regulador en el sentido de las manecillas del reloj, para reducir el nivel, se gira la perilla en el sentido contrario a las manecillas del reloj.

REPARACIÓN DE INSTALACIONES HIDRÁULICAS EN CASAS-HABITACIÓN

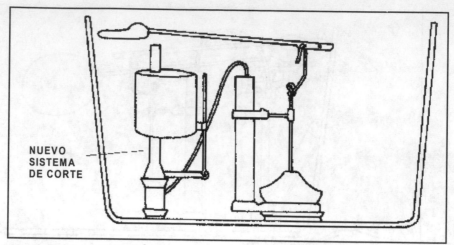

SE REEMPLAZA LA VÁLVULA DE CORTE CON UN NUEVO SISTEMA DE PLÁSTICO DE ACUERDO CON LAS INSTRUCCIONES DEL PAQUETE

En algunos tipos de toilets el flotador no es de bola, entonces el ajuste no se hace doblando la varilla, mas bien apretando la varilla de ajuste, como se muestra en la figura:

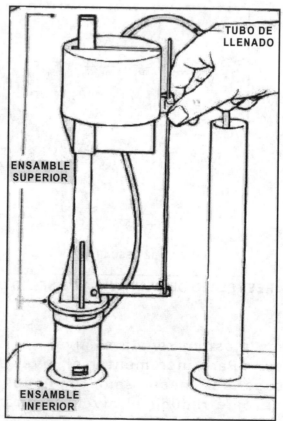

AJUSTE DEL FLOTADOR

REPARACIÓN DE INSTALACIONES HIDRÁULICAS EN CASAS-HABITACIÓN

Algunas veces la válvula de descarga no asienta bien o está desajustada, para reparar esta válvula se muestran los pasos a seguir.

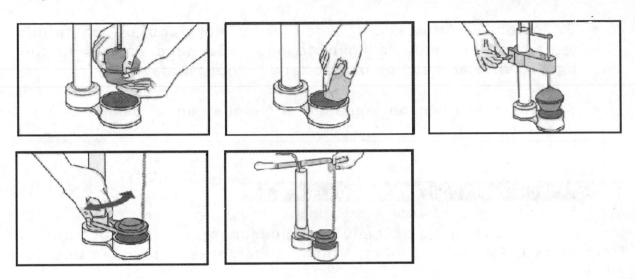

REPARACIÓN DE LA VÁLVULA DE DESCARGA

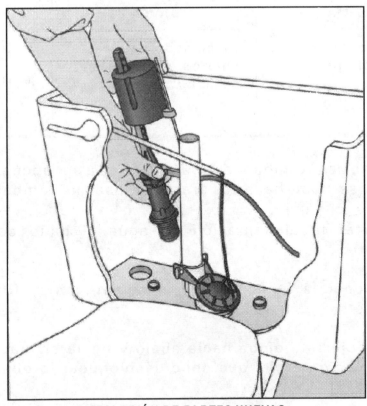

INSTALACIÓN DE PARTES NUEVAS

- Se debe colocar la nueva parte de reemplazo en posición alineada, colocando el cono justo sobre el agujero en el tanque.

- Se coloca el tubo de relleno dentro del tubo de sobreflujo y lentamente se abre la llave de agua. Se debe apretar la tuerca ligeramente en caso de que se tenga alguna fuga.

- Se ajusta el nivel del agua en el tanque, en el caso de que sea necesario.

DESTAPANDO O DESBLOQUEANDO EL TOILER (W.C.)

Uno de los accesorios de baño que pueden presentar problemas más frecuentes es el W.C. o toilet, y generalmente es el bloqueo que puede sufrir.

PROBLEMA	CAUSA	SOLUCIÓN
El W.C. o toilet se encuentra bloqueado (tapado)	Demasiado papel u objetos extraños en la taza.	- Usar una bomba. - Uso del barreno o sonda para destapar baños.

USO DE LA BOMBA Cuando el toilet o W.C. se encuentre bloqueado, lo primero que se debe hacer es tratar de usar la bomba para destapar.

❶ Cortar la alimentación de agua al baño con las válvulas de corte.

❷ Colocar la bomba sobre el agujero en el fondo de la taza del toilet.

❸ Empujar la bomba hacia abajo y hacia arriba, con lo que se crea un vacío parcial que debe desbloquear la obstrucción.

BOMBA

USO DE LA BOMBA PARA DESTAPAR BAÑOS

USO DEL BARRENO O SONDA PARA DESTAPAR BAÑOS.

Cuando una obstrucción permanece después de usar la bomba, entonces es necesario usar una sonda o barreno, el procedimiento es el siguiente:

❶   Se inserta la sonda en la taza del toilet y se desliza hasta que tope con la obstrucción.

❷   Se mueve la sonda hacia un lado y hacia otro gradualmente, hasta que se logre eliminar el bloqueo.

USO DE LA BOMBA PARA DESTAPAR LAVABOS

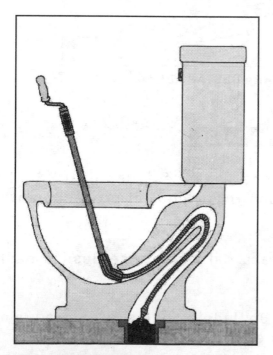

DESTAPANDO UN TOILET CON UNA SONDA

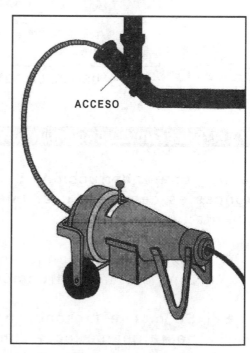

ACCESO

LIMPIEZA DE UN DRENAJE CON
MÁQUINA DESTAPADORA

REPARACIÓN DE INSTALACIONES HIDRÁULICAS EN CASAS-HABITACIÓN

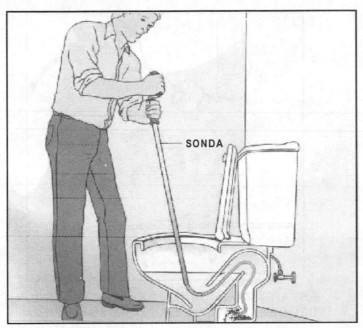

USO DEL BARRENO O SONDA PARA DESTAPAR BAÑOS

| 2.8 | **DESBLOQUEANDO EL DRENAJE PRINCIPAL.** |

El sistema de drenaje en una casa consiste de drenajes para cada accesorio (lavabo, toilet, regadera, fregadero, etc.) que descargan en un drenaje principal, el cual lleva todos los desperdicios fuera de la casa. Si dos o más conductos están bloqueados, entonces puede ocurrir que el bloqueo se encuentre en el drenaje principal. Para desbloquear, se debe usar una sonda o barreno y proceder como sigue:

❶ Al nivel del piso localizar un tubo largo de hierro fundido o plástico que se extiende por la tierra, alrededor de 1.00 ó 1.2 m con respecto al nivel del suelo hay *una salida para limpieza* localizada sobre un tubo pequeño que tiene una forma de Y con respecto al tubo principal, usando un tubo o una llave ajustable (perico o stillson) se retira el tapón del elemento de limpieza.

❷ Se introduce la sonda o barreno por la parte abierta, se acciona para mover hacia un lado y hacia otro tratando de penetrar hasta eliminar el bloqueo.

REPARACIÓN DE INSTALACIONES HIDRÁULICAS EN CASAS-HABITACIÓN

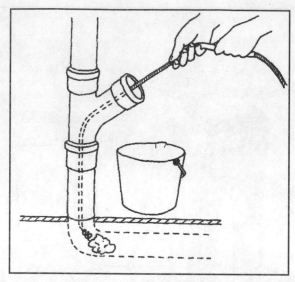

ENSARTAR UNA BOMBA DE BAÑO A LA UNIÓN DEL DRENAJE PRINCIPAL PARA SU LIMPIEZA

2.9 REPARACIÓN DE FUGAS EN LLAVES DE AGUA (GRIFOS).

Las llaves o grifos pueden estar en cocinas o baños, la mayoría de los fregaderos de cocina contienen grifos o llaves que no son de compresión. Un grifo que no es de compresión tiene una palanca sencilla que regula el flujo del agua fría y caliente con una bola rotatoria, un cartucho o un mecanismo de válvula, un goteo en el tubo de descarga significa por lo general que una de las partes que trabajan necesita ser reemplazada, por lo general todas las partes de repuesto para algún tipo de válvula o grifo, se pueden comprar en paquete, por lo tanto *el primer paso es determinar la marca y modelo* de la llave o grifo y comprar el kit de reparación apropiado.

GRIFOS (LLAVES) DE BOLA ROTATORIA.

Dentro de cada grifo de bola rotatoria está un ranurado de metal que detiene o para la bola con dos resortes que cargan o presionan un sello de hule. El agua fluye o circula cuando la apertura en el grifo de bola rotatoria se alinea con las entradas de agua fría y caliente en el cuerpo del grifo.

Este estilo o modelo de grifo trabaja con frecuencia por años, sin tener ningún problema, sin embargo, con el tiempo puede desarrollar fugas en la araña o en la base del grifo, y entonces es necesario reparar estas fugas.

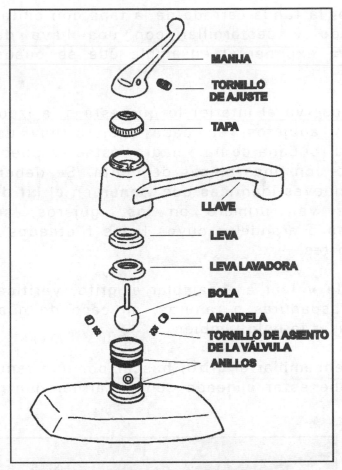

LLAVE DE BOLA ROTATORIA

REPARACIÓN DE UNA FUGA EN LA ARAÑA DE LA LLAVE DE BOLA ROTATORIA.

Si el grifo gotea en la araña, entonces es necesario que los resortes y los pequeños sellos de hule se reemplacen.

❶ Cerrar la llave de paso o sello que se encuentra debajo del fregadero antes de iniciar con el trabajo.

❷ Retirar el tornillo de sujeción o ajuste en la base de la manija, ya sea con una llave Allen, o bien con una llave pequeña que viene normalmente en el kit de reparación; ahora se puede retirar la manija.

❸   Envolver la funda cerrada de la tapa con cinta para proteger su terminado y destornillar con una llave de plomero, esto permitirá exponer el ensamble que se puede retirar con los dedos.

❹   Si se observa al interior lo que está a la izquierda, se pueden ver dos agujeros, en cada agujero hay un resorte y una pequeña rondana de hule negro, éstas se pueden retirar con los dedos o con unas pinzas de punta. Se deben reemplazar con partes nuevas idénticas que vienen en el kit de reparación. Los resortes van primero en los agujeros, seguidos por las rondanas o arandelas cuyos lados fileteados se ajustan sobre los resortes.

❺   Antes de volver a ensamblar el grifo, verificar que la bola no tenga raspaduras o ranuras, en caso de que tenga, se debe reemplazar la bola también.

❻   Para reensamblar el grifo, buscar por una ranura sobre la bola, ésta debe estar alineada con un alfiler dentro del cuerpo del grifo.

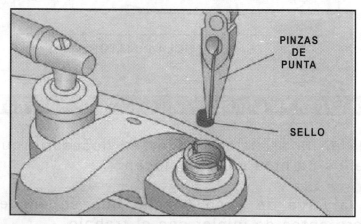

CAMBIO DE SELLO Y RESORTE

REPARACIÓN DE FUGAS EN LA BASE DEL GRIFO.

Si la fuga ocurre en la base del grifo, entonces será necesario cambiar los anillos de la válvula.

❶ Cerrar la llave de paso o seguridad que se encuentra debajo del fregadero.

❷ Desensamblar o desarmar el grifo en las partes como se indica.

❸ Retirar el tubo de descarga, jalando hacia arriba y moviéndolo de lado a lado, esto permitirá exponer uno o más *anillos*.

❹ Con una navaja o un destornillador, deslizar los anillos viejos del grifo, se deben comparar exactamente los mismo anillos.

❺ Insertar los nuevos anillos de la válvula y volver a ensamblar el grifo.

ARREGLANDO UNA FUGA EN LA MANIJA DE UN GRIFO DE BOLA ROTATORIA

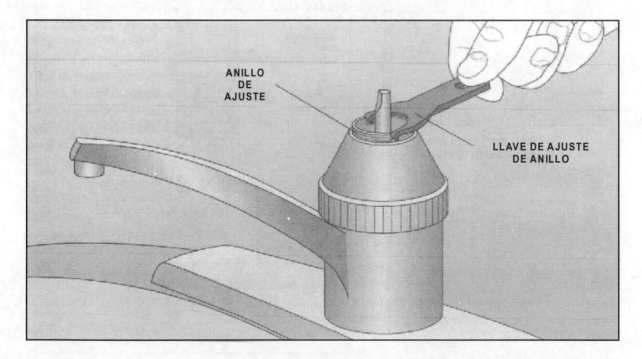

Apretando el anillo de ajuste.

Retirar la manija del grifo, aflojando el tornillo de sujeción o ajuste con una llave de ajuste hexagonal.

Se aprieta con una llave de ajuste el anillo, como se muestra en la figura de arriba, en caso que no se tenga la llave, se puede usar un cuchillo de cocina y se vuelve a colocar la manija.

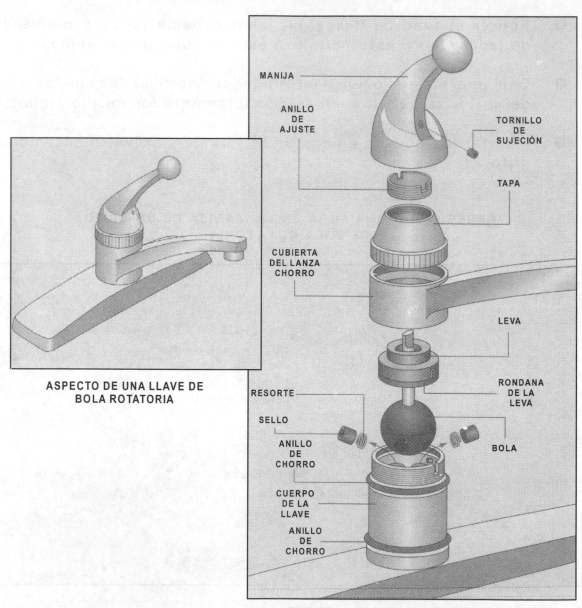

ASPECTO DE UNA LLAVE DE
BOLA ROTATORIA

ENSAMBLE DE LA LLAVE DE BOLA ROTATORIA

GRIFOS TIPO CARTUCHO.

Estos grifos que no tienen rondanas, tienen una serie de agujeros en el tallo y ensamble del cartucho que alinean la mezcla del control y flujo de agua. Se presentan usualmente problemas con este tipo de grifos o llaves debido a que los anillos o el cartucho mismo deben ser reemplazados.

De hecho, en este tipo de grifo, se sustituye un cartucho por la bola rotatoria, el cartucho tiene una forma similar de apertura para agua fría o caliente, manipulando la manija se controla el flujo de agua y su temperatura. Cuando tiene fugas en la base, se deben cambiar los anillos.

Una fuga en el grifo requiere que se cambie el vástago del cartucho de acuerdo con el siguiente procedimiento:

❶   Cerrar la válvula de paso o seguridad debajo del fregadero.

❷   Retirar la tapa decorativa, quitar el tornillo y retirar la palanca de la manija con un destornillador.

❸   Localizar el clip o grapa de retención donde la manija se une a la base del grifo.

❹   Jalar el clip o grapa con un destornillador para retirarlo.

❺   Jalar el cartucho con los dedos.

❻   Instalar el nuevo cartucho, asegurándose que la flecha indicativa de la alineación esté correcta.

❼   Insertar la grapa o clip y armar el grifo.

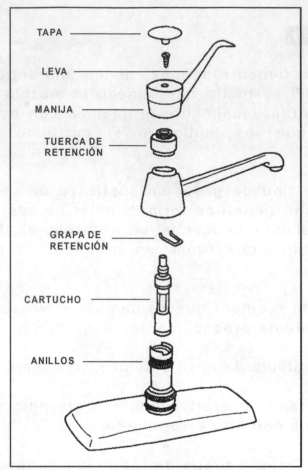

TAPA

LEVA

MANIJA

TUERCA DE
RETENCIÓN

GRAPA DE
RETENCIÓN

CARTUCHO

ANILLOS

LLAVE DE CARTUCHO

GRIFO TIPO LLAVE DE VÁLVULA.

Los grifos de válvula son en la mayoría de los casos como los grifos de disco de dos manijas que se usan en los cuartos de baño, excepto que no tienen rondanas o arandelas, y una sola palanca controla el agua fría y caliente. Moviendo la palanca hacia arriba abre ias válvulas de agua fría o caliente, según el lado que se seleccione, lo cual permite salir el agua.

REPARACIÓN DE FUGAS EN LA ARAÑA O GRIFO.

Cuando se tenga una fuga en la válvula del grifo, se desarma el accesorio para determinar las partes en falla como sigue:

❶ Cerrar la válvula de paso o seguridad debajo del fregadero.

❷ Colocar cinta en la tuerca en la base del chorro para proteger la araña de rasguños.

❸ Aflojar la tuerca con una llave stillson o de perico y levantar el tubo de descarga hacia arriba y retirarlo.

❹ Continuar desarmando el grifo levantando la cubierta del cuerpo, esto expondrá dos tapones hexagonales, uno en cada lado del grifo, se retiran con llaves pequeñas.

❺ Ahora se podrá ver una junta, filtro, resorte, vástago y sello, se retiran con los de dos y usando una llave de asiento hexagonal se coloca para desalojar.

❻ Rearmar el grifo en el sentido inverso al descrito.

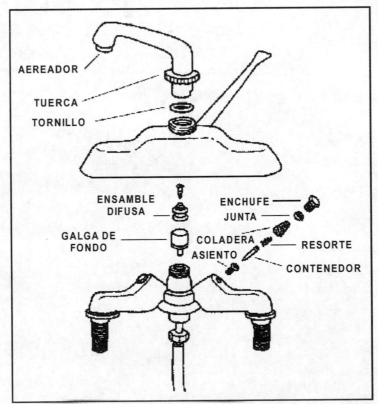

LLAVE DE VÁLVULA

REPARACIÓN DE INSTALACIONES HIDRÁULICAS EN CASAS-HABITACIÓN

GRIFOS DE DISCO.

En estos grifos sin rondanas, se abren en dos discos dentro de un cartucho sellado o ensamble de una unidad de vástago con agujeros en el interior para permitir el flujo del agua. En el tipo de manija sencilla, la manija también controla la mezcla de agua fría y caliente. El cartucho en el modelo de manija sencilla rara vez queda fuera de servicio, pero en el ensamble de la unidad de vástago en el modelo de dos manijas, éste puede requerir ser reemplazado.

Más frecuentemente el sello de entrada es el punto débil. En el tipo de manija sencilla se tienen tres sellos de hule para proporcionar agua fría, caliente y una mezcla de agua.

Este tipo de grifos se puede encontrar con una variedad de manijas, como se muestra:

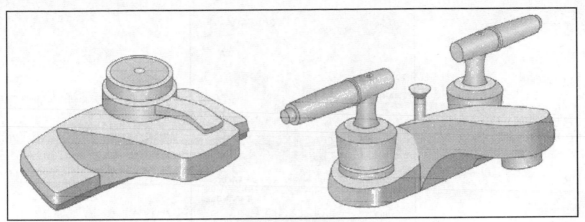

LLAVES TIPO DISCO

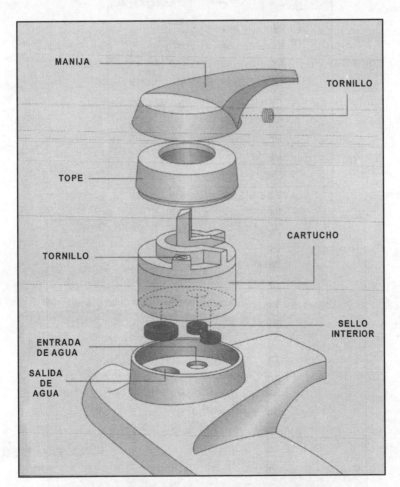

MANIJA

TORNILLO

TOPE

CARTUCHO

TORNILLO

SELLO
INTERIOR

ENTRADA
DE AGUA

SALIDA
DE
AGUA

LLAVE DE DISCO SIMPLE

REPARACIÓN DE INSTALACIONES HIDRÁULICAS EN CASAS-HABITACIÓN

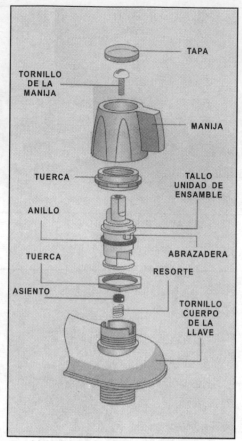

TAPA

TORNILLO
DE LA
MANIJA

MANIJA

TUERCA

TALLO
UNIDAD DE
ENSAMBLE

ANILLO

ABRAZADERA

TUERCA

RESORTE

ASIENTO

TORNILLO
CUERPO
DE LA
LLAVE

LLAVE DE DISCO DE DOS MANIJAS

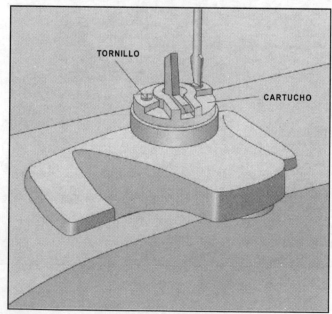

TORNILLO

CARTUCHO

RETIRANDO EL CARTUCHO

REPARACIÓN DE INSTALACIONES HIDRÁULICAS EN CASAS-HABITACIÓN

REPARACIÓN DE FUGAS EN GRIFOS (LLAVES) CUARTOS DE BAÑO.

El tipo más común de grifo en los cuartos de baño es el llamado *"grifo de compresión"*, que tiene manijas separadas para agua fría y caliente, cuando la manija se cierra una rondana o arandela en el fondo del vástago es forzada contra el asiento de la válvula bloqueando de esta manera el flujo del agua.

Si el grifo gotea, probablemente se requiera de una nueva rondana o arandela, otra posibilidad puede ser un asiento dañado de la válvula, el cual puede requerir ser pulido o cambiado. Finalmente, si la fuga viene de la base de la manija, entonces los anillos son el problema, para determinar cuál manija necesita trabajar, se cierra la válvula de paso debajo del fregadero o lavabo una a la vez y la fuga se para al cierre.

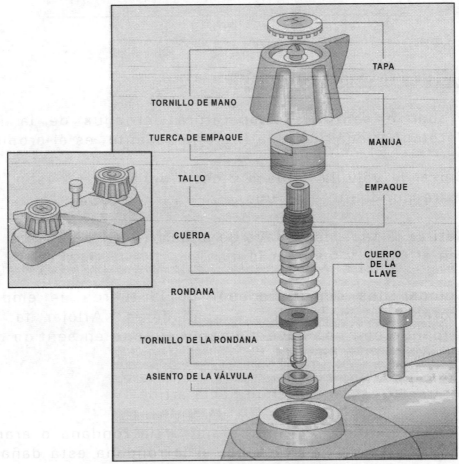

TAPA

TORNILLO DE MANO

TUERCA DE EMPAQUE

MANIJA

TALLO

EMPAQUE

CUERDA

CUERPO DE LA LLAVE

RONDANA

TORNILLO DE LA RONDANA

ASIENTO DE LA VÁLVULA

LLAVE DE COMPRESIÓN

REPARACIÓN DE INSTALACIONES HIDRÁULICAS EN CASAS-HABITACIÓN

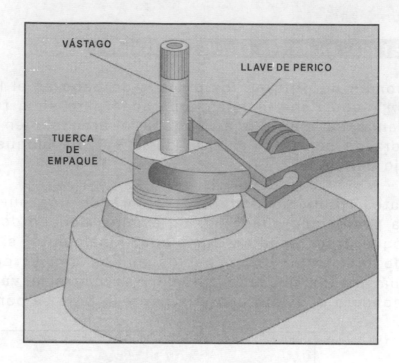

VÁSTAGO

LLAVE DE PERICO

TUERCA
DE
EMPAQUE

Reemplazo de la rondana o arandela.

❶ Probar o sentir la temperatura del agua de la fuga, para determinar cuál llave, la fría o la caliente, es el problema.

❷ Cerrar la válvula de paso o corte debajo del lavabo, de la llave correspondiente a la fuga.

❸ Retirar la tapa de la llave de agua fría (C) o caliente (H), según sea el caso, y levantar la manija.

❹ Colocar una cinta alrededor de la tuerca de empaque para proteger el accesorio de raspaduras. Aflojar la tuerca de empaque con una llave ajustable girando en sentido contrario a las manecillas del reloj.

❺ Retirar el vástago jalando hacia arriba.

❻ Con el vástago retirado, examinar la rondana o arandela, que asienta al final del vástago, si la rondana está dañada o rota, el agua se fuga a través del área dañada y gotea.

❼ Con un destornillador retirar el tornillo que fija la rondana en su lugar y retirar al rondana.

❽ Reemplazar la rondana vieja con una nueva que sea exactamente igual.

❾ Fijar el vástago y empaque, volver a armar.

❿ Abrir la válvula de agua de paso y observar si el problema se ha corregido.

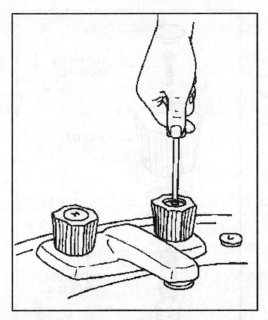

SE LEVANTA LA TAPA, SE AFLOJA EL TORNILLO Y SE RETIRA LA MANIJA

CAMBIO DEL ASIENTO DE LA VÁLVULA.

Si cambiando la rondana, el goteo permanece, probablemente el problema se tenga en el asiento de la válvula. El asiento de la válvula es el pequeño anillo de bronce sobre el cual se asienta la rondana. Cuando un asiento está fracturado o roto, no tiene capacidad para evitar el regreso del agua.

❶ Cerrar la válvula de paso debajo del lavabo.

❷ Retirar la manija y vástago de grifo, como se ha indicado en la sección previa.

❸ Colocar la llave o herramienta para destornillar el asiento de la válvula.

❹ Levantar el asiento de la válvula del grifo y examinarlo, si está dañado o roto se debe cambiar por otro idéntico.

❺ Colocar el nuevo asiento y atornillar para ajustar en su lugar.

TAPA

TORNILLO MANUAL

MANIJA

TUERCA DE EMPAQUE

CONTENEDOR O VÁSTAGO

ARANDELA

ASIENTO DE LA VÁLVULA

LLAVE DE COMPRESIÓN

Para reemplazar los sellos o juntas que se encuentran debajo del cartucho, para inspección de daños o sedimentos alrededor de los agujeros de entrada, así como para la reparación de grifos con dos manijas y cambio de los anillos, se muestra la siguiente figura:

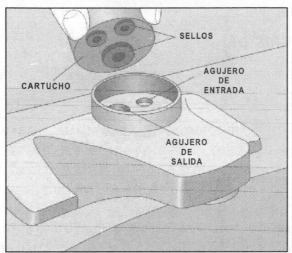

REEMPLAZO DE LOS SELLOS O JUNTAS

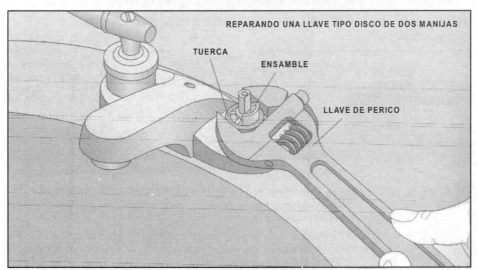

DESARMADO DE LA LLAVE

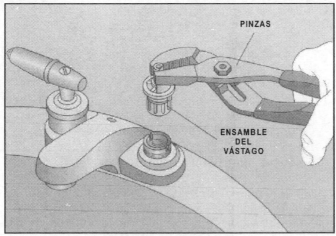

REEMPLAZO DE LA JUNTA

REPARACIÓN DE INSTALACIONES HIDRÁULICAS EN CASAS-HABITACIÓN

 **FUGAS EN TINAS DE BAÑO O REGADERAS.** Si los grifos de una tina de baño tienen fuga o goteo, el procedimiento de compostura es el mismo descrito antes, con dos excepciones:

PRIMERO. Las válvulas de corte del agua para la regadera son frecuentemente muy difíciles de accesar o de plano no se instalan para evitar problemas de localización, por lo que para iniciar una reparación, se procede a cortar o cerrar la llave principal de la casa.

SEGUNDO. La mayoría de los vástagos o grifos de las tinas de baño, se encuentran empotrados en las paredes o en la cubierta de la tina, por lo que para retirar se requiere de alguna herramienta especial, que se puede adquirir en las tiendas de artículos de plomería.

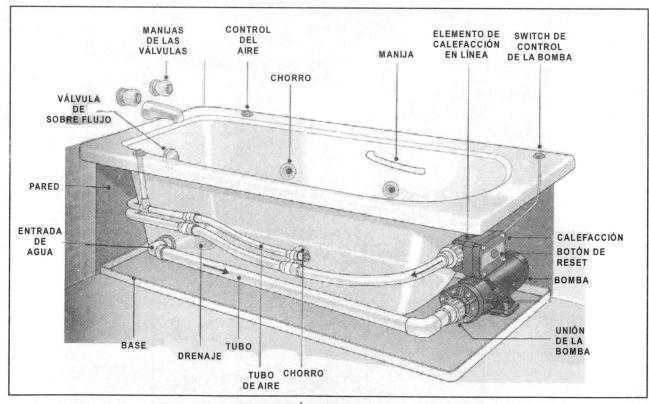

INSTALACIÓN DE UNA TINA

CAMBIO DE LA RONDANA O ARANDELA.

La primera cosa por observar para una fuga en los grifos, es revisar la arandela.

❶ Cerrar la llave principal de agua de la casa.

❷ Retirar la manija del grifo, quitando la tapa decorativa y también los tornillos que las fijan.

❸ Una vez que la manija ha sido retirada, se inserta la llave sobre el vástago, usando un destornillador como manija se retira el vástago.

❹ Observar la arandela y si está dañada o rota se debe reemplazar.

❺ Armar el vástago y manija.

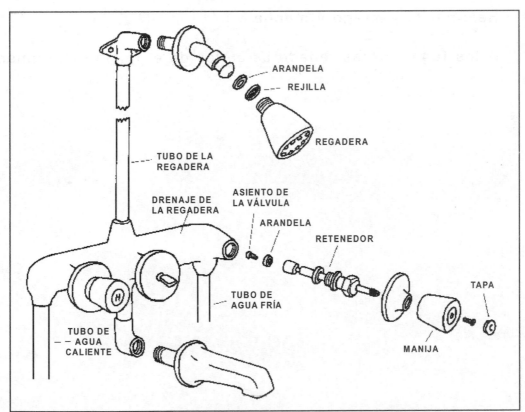

LLAVE DE REGADERA Y TINA

REPARACIÓN DE INSTALACIONES HIDRÁULICAS EN CASAS-HABITACIÓN

CAMBIO DEL ASIENTO DE LA VÁLVULA.

Si la fuga continúa, el asiento de la válvula puede estar dañado, es decir, el anillo de bronce debajo de la arandela.

❶ Cerrar la válvula principal de agua.

❷ Retirar la manija del grifo y el vástago, como se ha descrito antes.

❸ Colocar la llave hexagonal del asiento en el punto medio de la válvula y destornillar.

❹ Levantar el asiento de la válvula del grifo y examinar. Si está rayada, fracturada o rota, reemplazar con un duplicado exacto.

❺ Colocar el nuevo asiento de la válvula.

❻ Rearmar el vástago y manija.

❼ A las fugas en las regaderas se les da el mismo tratamiento

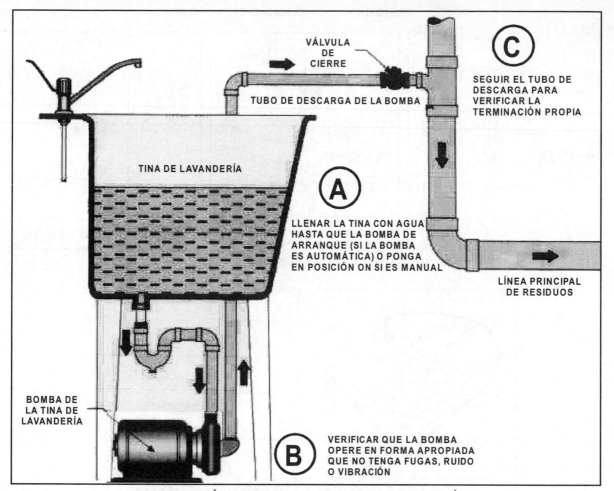

INSTALACIÓN DE BOMBA PARA TINA DE LAVANDERÍA

REPARACIÓN DE INSTALACIONES HIDRÁULICAS EN CASAS-HABITACIÓN

EMERGENCIAS CON INSTALACIONES DE AGUA

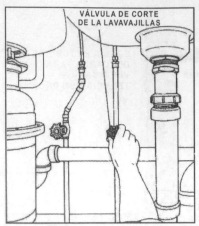

VÁLVULA DE CORTE
DE LA LAVAVAJILLAS

VÁLVULAS
DE LA
LAVADORA
DE ROPA

VÁLVULA
PRINCIPAL
DE AGUA

1.- SE CIERRA O SE CORTA EL SUMINISTRO DE AGUA

TINA EN LA LAVAVAJILLAS

MANGUERA
DE
SIFÓN

2.- SE VACÍAN LOS ELECTRODOMÉSTICOS, EXTRAYENDO EL AGUA QUE CONTENGAN

**3.- SE CORTA LA ALIMENTACIÓN ELÉCTRICA DE UN ELECTRODOMÉSTICO
Y SE SECA CUALQUIER FUGA O HUMEDAD EN EL MISMO**

REPARACIÓN DE INSTALACIONES HIDRÁULICAS EN CASAS-HABITACIÓN

ELEMENTOS DE INSTALACIONES ELÉCTRICAS

3.1 INTRODUCCIÓN Un circuito eléctrico es una trayectoria o un grupo de trayectorias interconectadas capaces de transportar corriente eléctrica. Es una trayectoria cerrada que contiene una fuente o fuentes de voltaje. Hay dos tipos básicos de circuitos eléctricos: *serie y paralelo*. Los dos circuitos básicos se pueden combinar para formar redes más complejas (otro nombre usado para circuito).

TERMINOLOGÍA DE ELECTRICIDAD. La mayoría de los temas de electricidad tiene su propio vocabulario, para este libro, es importante conocer el significado de *cuatro términos clave:* ampere, volt, watt y ohm, entendiendo estos términos se puede tener una mejor compresión de la electricidad.

AMPERE. Un ampere o amp. mide el índice o resistencia al flujo eléctrico. Una casa típica de las llamadas residenciales, con los principales servicios, puede tener un sistema eléctrico de 150 ó 200A. La corriente eléctrica es la medición de corriente real que circula en un circuito hacia un aparato electrodoméstico, por ejemplo, aín cuando esto sólo se puede medir cuando el circuito está en posición de cerrado, se requiere, para los fines del cálculo de las instalaciones eléctricas, el valor de un aparato en watts, o bien con los volts y amperes que usan. La *ampacidad* es la medida de qué tanta corriente, medida en amperes, puede conducir un conductor en forma segura. Cada conductor conduce una cantidad limitada de corriente, antes de que se pueda calentar al punto que se dañe su aislamiento. El valor de corriente es también importante para especificar fusibles o

ELEMENTOS DE INSTALACIONES ELÉCTRICAS

interruptores usados en las instalaciones eléctricas. Un valor de corriente pequeño de un fusible o de un interruptor, hace que se funda o se dispare; en cambio, si el valor es alto, permite el paso de una corriente elevada y no opera, lo cual resulta peligroso para la instalación.

VOLT. Un volt es la medida de la presión aplicada por una potencia eléctrica. El voltaje es la fuerza que mueve o produce que circule una corriente en un circuito. El voltaje se designa por la **letra V,** presiona una corriente que alterna entre valores positivos y negativos, se conoce como corriente alterna (CA). En forma periódica se alterna de dirección en ciclos denominado *Hertz*, un ciclo toma 1/60 de ciclo para que se complete y se expresa, en el caso de México y de algunos países, como una *frecuencia* de 60 ciclos/seg.

WATT. Se dice en términos prácticos que es la medida de potencia y se puede interpretar como la cantidad de energía para hacer operar algún aparato en particular. La potencia de un circuito es la cantidad de potencia que el circuito puede entregar en forma segura y que está determinada por la capacidad de conducción de corriente de los conductores o cables. La potencia también indica la cantidad de watts que una luminaria, lámpara o aparato necesita para operar en forma apropiada.

RESISTENCIA. La resistencia eléctrica se mide en ohms y es el parámetro que restringe el flujo de corriente. Esta resistencia produce un cambio de energía eléctrica en alguna otra forma de energía, generalmente calor.

LA LEY DE OHM. Relaciona el voltaje, la corriente y la resistencia, es una de las leyes más importantes de electricidad y fue establecida en la primera parte del siglo XIX por George Simón Ohm (1789-1854), quien después de varios experimentos determinó que la resistencia de un conductor está dada por la relación:

$$R = \frac{\rho \ell}{A}$$

Donde:

R = Resistencia en ohms.

ℓ = Longitud de un conductor en metros (m).

A = Sección transversal del conductor en mm².

ρ = La resistividad que es un parámetro que depende de la estructura molecular de una muestra del mismo y de la temperatura.

La relación entre los tres parámetros eléctricos: voltaje, corriente y resistencia se le conoce como la Ley de Ohm en su honor y se establece como sigue:

LEY DE OHM. La corriente en un circuito eléctrico es directamente proporcional al voltaje e inversamente proporcional a la resistencia, esta relación se puede resumir como una ecuación matemática simple:

$$\text{Corriente} = \frac{\text{voltaje}}{\text{resistencia}}$$

Establecida en términos de unidades:

$$\text{Amperes} = \frac{\text{volts}}{\text{ohms}}$$

La *corriente eléctrica se puede representar por I,* la resistencia *por R*, y el voltaje *por V,* de manera que la Ley de Ohm se puede escribir como:

$$I = \frac{V}{R} \qquad \text{ó} \qquad V = RI$$

Se tiene un circuito que consiste de una resistencia de 20 ohms, conectada a una fuente de voltaje de 115V, calcular la corriente que circula.

$$I = \frac{V}{R} = \frac{115}{20} = 5.75A$$

LA POTENCIA. Los conceptos de potencia y energía se confunden con frecuencia. Básicamente la potencia es qué tan rápido se hace un trabajo y qué tan rápido se usa la energía. La unidad básica de la potencia eléctrica es el watts, el cual es un joule de energía usada por segundo. La potencia se determina como el producto del voltaje y la corriente.

Watts = volts x amperes

Si se designa por **P** la potencia, **V** el voltaje e **I** la corriente.

P = **V x I**

Como la Ley de Ohm se sabe que:

$$I = \frac{V}{R}$$

La fórmula para la potencia se puede reescribir como:

$$P = \frac{V^2}{R}$$

Y también como: V = RI

$$P = (RxI)xI$$

$$P = RxI^2$$

Esta última expresión sirve para calcular lo que se conoce como *"las pérdidas eléctricas"*.

Calcular la potencia que consume una lámpara que se alimenta a 120 V y demanda 0.5A.

$P = V \times I = 120 \times 0.5 = 60\,watt$

Calcular la resistencia de una lámpara incandescente que tiene una potencia de 60 watts y se alimenta a 120 volts.

De la expresión para la potencia:

$$P = \frac{V^2}{R}$$

La resistencia: $R = \dfrac{V^2}{\rho} = \dfrac{(120)^2}{60} = 240\ \Omega$

Calcular la corriente que demanda una lámpara de 60 watts que se alimenta a 120V.

La potencia se calcula con la expresión:

$$P = V \times I$$

La corriente es entonces:

$$I = \frac{P}{V} = \frac{60}{120} = 0.5A$$

3.2 LAS INSTALACIONES ELÉCTRICAS.

En un concepto simple, la electricidad es el flujo de electrones a través de un conductor. En el sistema eléctrico de una casa, los alambres o conductores consisten de cobre conductor cubiertos por un aislamiento por seguridad, formando trayectorias cerradas que se conocen como circuitos, cuando un circuito se interrumpe en cualquier punto, la electricidad se corta, tan pronto como el circuito se reconecta el flujo de corriente continua otra vez.

La electricidad es producida y distribuida por las empresas eléctricas y llevada a casas, edificios o empresas industriales, por medio de conductores aéreos o cables subterráneos que llegan a un punto que se le llama acometida. Aún cuando la empresa suministradora opera con altas tensiones, a las casas por lo general llega un voltaje de 120 volts. La electricidad pasa a través de un medidor eléctrico que mide qué tanto se consume de energía eléctrica en una casa. Del medidor continúa a lo que se conoce como el tablero de servicio, que es donde se encuentran los fusibles o el interruptor y de donde se distribuye la electricidad a la casa a través de circuitos individuales; del tablero de servicio salen los circuitos que alimentan los contactos, las salidas para alumbrado, las salidas para aparatos electrodomésticos y otros usos comunes en las casas, o bien oficinas en los edificios.

En la siguiente figura, se muestra la estructura general de un sistema eléctrico.

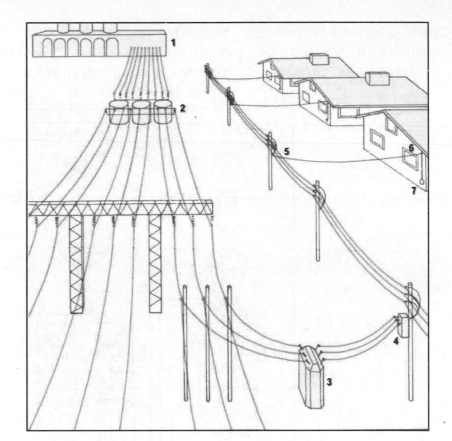

1.- CENTRAL ELÉCTRICA

2.- SUBESTACIÓN ELEVADORA

3.- NIVEL DE DISTRIBUCIÓN (SUBESTACIÓN)

4.- NIVEL RESIDENCIAL (SUBESTACIÓN)

5.- ALIMENTADORES O ACOMETIDA

6.- ENTRADA DE LA ACOMETIDA

7.- EQUIPO DE MEDICIÓN

ELEMENTOS DE UN SISTEMA ELÉCTRICO

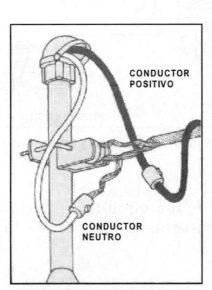

CONDUCTOR POSITIVO

CONDUCTOR NEUTRO

SERVICIO DE ALIMENTACIÓN CON 2 CONDUCTORES (MONOFÁSICOS)

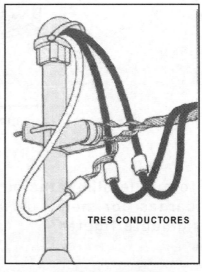

TRES CONDUCTORES

SERVICIO DE ALIMENTACIÓN CON 3 CONDUCTORES (MONOFÁSICOS)

ELEMENTOS DE INSTALACIONES ELÉCTRICAS

Cada circuito tiene un número de salidas que alimentan a circuitos menores a través de los cuales fluye la electricidad, estas salidas pueden tener contactos, luminarias y apagadores.

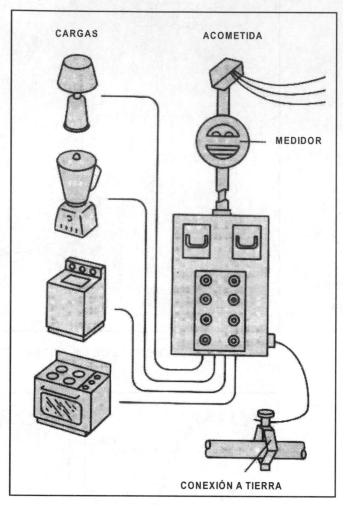

CIRCUITOS DERIVADOS EN UNA CASA

La forma de alimentación de los circuitos eléctricos a los distintos tipos de cargas por medio de las salidas o tomas de corriente, se muestra en la siguiente figura:

ELEMENTOS DE INSTALACIONES ELÉCTRICAS

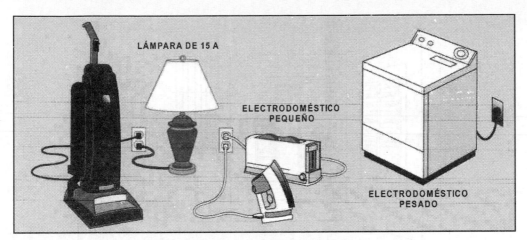

LÁMPARA DE 15 A

ELECTRODOMÉSTICO PEQUEÑO

ELECTRODOMÉSTICO PESADO

CIRCUITOS ELÉCTRICOS Y CARGAS

LOS TABLEROS DE SERVICIO.

Los proyectos eléctricos siempre comienzan en el tablero de servicio, los cuales pueden ser una caja con interruptores (breakers) o bien una caja con fusibles. Cuando se presenta una sobrecarga o un cortocircuito en la instalación, se interrumpe el flujo de corriente. La potencia llega del medidor a través de los conductores que llevan la electricidad a una casa a 120 volts, estos conductores pueden ser, rojo o negro para el que lleva la corriente y blanco para el denominado neutro.

LA CAJA DE INTERRUPTORES.

Los interruptores o breakers que protegen y controlan a los circuitos en una instalación eléctrica se encuentran alojados dentro de una caja negra que se conoce como *el tablero*, que pueden ser a 120 ó 220V, según sea el tamaño de la carga o la instalación, y se alimenta en forma monofásica o trifásica. Cuando se trata de alimentar varios circuitos, generalmente se tiene un interruptor principal y los interruptores a los circuitos pueden ser dobles o sencillos, según sean a 120 ó 220V para alumbrado o contactos en el primer caso o para electrodomésticos mayores en el segundo caso.

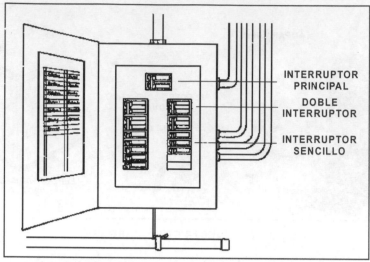

INTERRUPTOR
PRINCIPAL

DOBLE
INTERRUPTOR

INTERRUPTOR
SENCILLO

TABLERO DE SERVICIO CON LOS INTERRUPTORES

Para la fácil identificación de los circuitos, se deben marcar con un número de registro, como se indica:

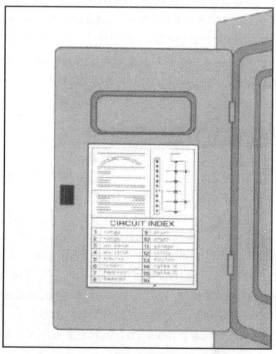

CADA INTERRUPTOR O CIRCUITO SE DEBE MARCAR PARA IDENTIFICAR ALUMBRADO Y CIRCUITOS PARA APARATOS.

INDIQUE UN NÚMERO DE REGISTRO EN EL PANEL O TABLERO

En todos los casos, el tablero principal o tablero de servicio se debe alambrar en forma cuidadosa, para esto, se deben identificar claramente la entrada principal que llega al interruptor principal, la barra viva a donde se conectan los conductores vivos o que llevan corriente y la barra de tierra; que se debe conectar, por razones de seguridad, al electrodo de tierra o tierra principal.

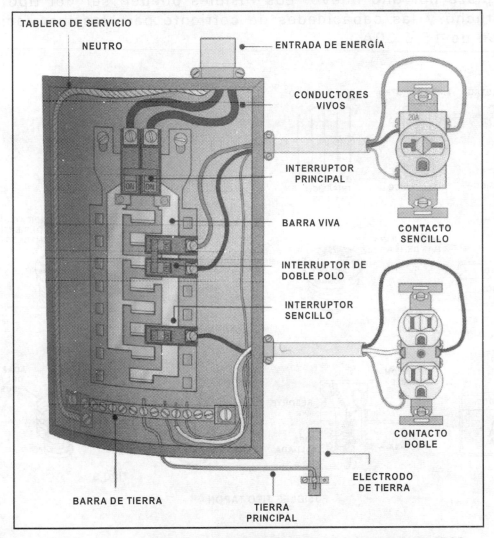

ALAMBRADO DE TABLERO Y CIRCUITOS DERIVADOS PARA CONTACTOS

CAJA DE FUSIBLES.

En algunos casos, especialmente en casas relativamente viejas, a las que no se les ha revisado la instalación eléctrica en los últimos 25 ó 30 años, es posible que en lugar de un tablero con interruptores, se tenga una caja con fusibles. Estas cajas con fusibles se alambran y trabajan de la misma manera que las cajas o tableros de interruptores, pero en lugar de que se *"dispare"* un interruptor se *"funde"* un fusible cuando hay una corriente excesiva en un circuito. Cuando esto sucede, se debe eliminar la sobrecarga o el cortocircuito, se retira el fusible fundido y se reemplaza por uno nuevo. Los fusibles pueden ser del tipo tapón o tipo cartucho y las capacidades de corriente para las instalaciones en casas son de 15 ó 30A.

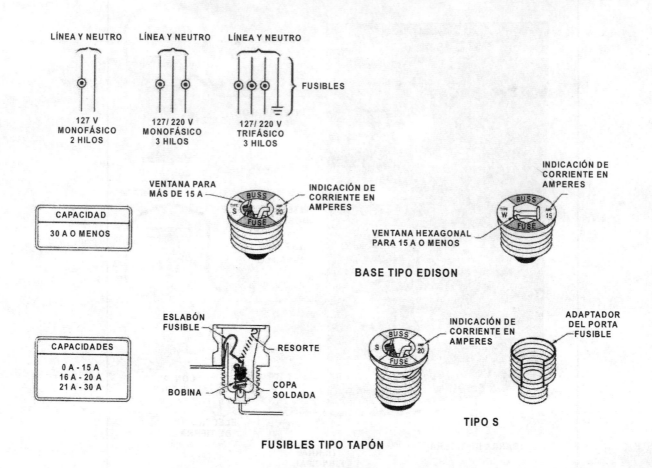

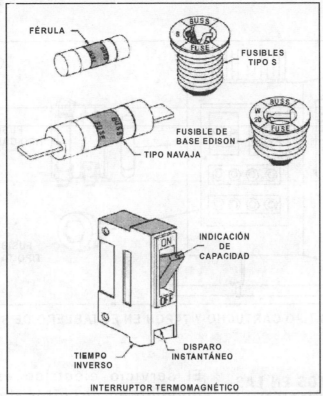

DISPOSITIVOS DE PROTECCIÓN CONTRA SOBRE CORRIENTE

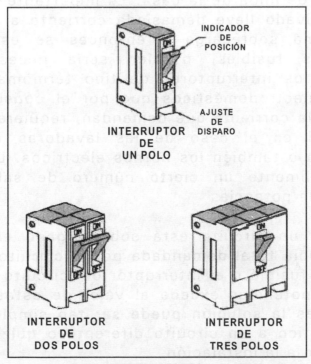

INTERRUPTORES

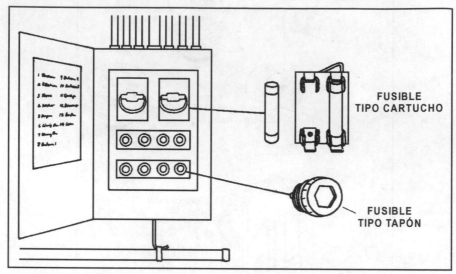

FUSIBLES TIPO CARTUCHO Y TAPÓN EN EL TABLERO DE SERVICIO

3.3 LOS CIRCUITOS EN LAS CASAS–HABITACIÓN.

El servicio eléctrico en una casa está dividido en circuitos derivados o ramas, cada uno de los cuales alimenta potencia a un área definida de la casa. Es importante estar seguro que ningún circuito derivado lleve demasiada corriente a la carga, ya que esto representa una sobrecarga y entonces se estarían fundiendo frecuentemente los fusibles, o bien sería necesario restablecer constantemente a los interruptores de tipo termomagnético. Existen algunos aparatos electrodomésticos que por el consumo de potencia que tienen, o bien la corriente que demandan, requieren tener circuitos independientes, tal es el caso de las lavadoras o las secadoras eléctricas para ropa o también los hornos eléctricos. Lo más común es que un circuito alimente un cierto número de salidas usando un determinado valor de potencia.

Para determinar si un circuito está sobrecargado es suficiente con determinar la potencia total demandada por el circuito y comparar con los amperes que el fusible o el interruptor del circuito pueden manejar, si la suma de las potencias excede al valor de estos dispositivos de protección, entonces la solución puede ser tan simple como conectar algún electrodoméstico a un circuito diferente o quizás sea necesario agregar otro circuito a la instalación.

Para evaluar las cargas de un circuito, es decir los watts totales que se están usando, checar la etiqueta de especificaciones de cada electrodoméstico que se use, también se deben anotar los watts de los focos o luminarias que se utilicen y se divide entre el voltaje, y el resultado es la corriente que se demanda cuando todos los aparatos electrodomésticos y las lámparas o luminarias están operando. *Los consumos de algunos aparatos electrodomésticos conectados a 120 volts son los siguientes.*

- ▣ Refrigerador de 500 watts/4.2 amperes.

- ▣ Horno de microondas de 800 watts/6.7 amperes.

- ▣ Tostador de pan de 1050 watts/8.75 amperes.

- ▣ Secadora de gas de 720 watts/6 amperes.

- ▣ Equipo de aire acondicionado de ventana 1000 watts/8.1 amperes.

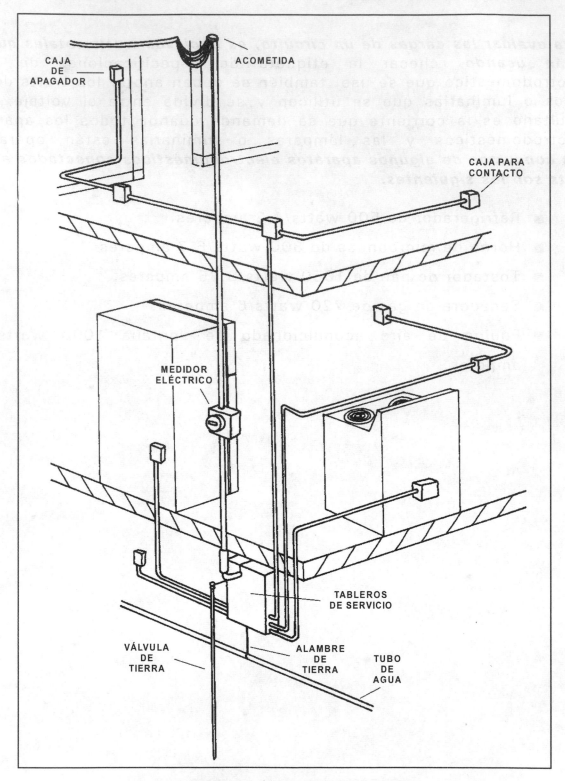

SISTEMA ELÉCTRICO DE UNA CASA

CONSUMO DE POTENCIA DE ALGUNOS ELECTRODOMÉSTICOS Y APARATOS ELÉCTRICOS

ELECTRODOMÉSTICO	POTENCIA PROMEDIO	ELECTRODOMÉSTICO	POTENCIA PROMEDIO
Ventilador	400 W	Máquina de coser	60-90 W
Licuadora	400-1000 W	Aire acondicionado tipo ventana	800-2500 W
Abrelatas	150 W	Horno de microondas	1000-1500 W
Aire acondicionado central	2500-6000 W	Impresora láser	1000 W
Reloj	2-3 W	Secadora de pelo	400-1500 W
Secadora de ropa	4000-5600 W	Estereo/CD	50-140 W
Lavadora de ropa	500-1000 W	Televisión	50-450 W
Computadora y monitor	565 W	Waffera	600-1200
Cafetera	600-1500 W	Calentador de agua eléctrico	2000-5500 W
Freidora	1200-1600 W	Pulidora de piso	300 W
Lavaplatos	1000-1500 W	Procesador de alimentos	150-250 W
Refrigerador sin escarcha	400-600 W		

Las cargas, se acostumbra indicarlas como salidas para contactos o salidas para lámparas o luminarias con sus controles (apagadores o switches) en dibujos o planos que indican, en el caso de una casa, cada área (sala, comedor, recámaras, baños, etc).

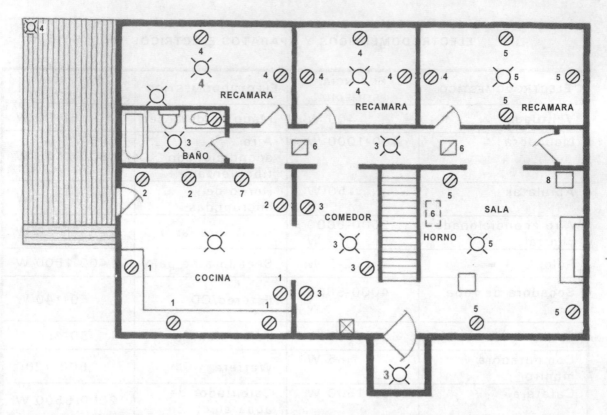

NUMERACIÓN Y REPRESENTACIÓN DE CIRCUITOS EN LA INSTALACIÓN DE CASAS HABITACIÓN

EL NÚMERO INDICA EL CIRCUITO DE QUE SE TRATA, DE MANERA QUE POR EJEMPLO LOS NÚMEROS 1 INDICAN LOS ELEMENTOS QUE FORMAN EL CIRCUITO 1, LOS NÚMEROS 3, LOS QUE FORMAN EL CIRCUITO 3, ETC.

La simbología usada y su relación con el objeto físico, se muestra en la siguiente figura:

SÍMBOLOS ELÉCTRICOS

SÍMBOLOS	OBJETO	SÍMBOLOS	OBJETO
SALIDA POR TECHO		SALIDA POR MURO	
CONTACTO DÚPLEX		APAGADOR SENCILLO	
APAGADOR DE TRES VÍAS		APAGADOR DE 4 VÍAS	
SALIDA A PRUEBA DE AGUA (WP)		LÁMPARA CON APAGADOR DE CADENA	

CARGAS REPRESENTATIVAS Y CIRCUITOS PARA EQUIPO ELÉCTRICO Y ELECTRODOMÉSTICOS

ELECTRODOMÉSTICO	VOLT/AMPERE	VOLTS	CALIBRE/NO. DE CONDUCTORES	CAPACIDAD DEL INTERRUPTOR O FUSIBLES
Estufa eléctrica	12,000	115/230	6/3	60
Horno	4,500	115/230	10/3	30
Campana de estufa	6,000	115/230	10/3	30
Lavaplatos	1,200	115	12/2	20
Procesador de basura	300	115	14 ó 12/2	15 ó 20
Calentador de agua	1,500	115	12/2	20
Refrigerador	300	115	14 ó 12/2	15 ó 20
Congelador	350	115	14 ó 12/2	15 ó 20
Lavadora de ropa	1,200	115	12/2	20
Secadora de ropa eléctrica	5,000	115/230	10/3	30
Plancha	1,650	115	14 ó 12/2	15 ó 20
Cobija eléctrica	1,500	115	12/2	20
Calentador portátil	1,300	115	12/2	20
Televisión	300	115	14 ó 12/2	15 ó 20
Luminaria	1,200	115	14 ó 12/2	15 ó 20
Aire acondicionado de ventana	1,200	115	14 ó 12/2	15 ó 20
Aire acondicionado	5,000	115/230	10/3	30
Bomba de agua	300	115	14 ó 12/2	15 ó 20
Aire forzado en horno	600	115	14 ó 12/2	15 ó 20
Ventilador	300	115	12/2	20

3.4 SELECCIÓN Y APLICACIÓN DE APAGADORES.

Los fabricantes de apagadores ofrecen distintos tipos y hasta colores, de acuerdo con las aplicaciones y gustos. La función es la misma finalmente y sólo es una diferencia en apariencia, aunque en algunos casos la diferencia va más allá.

Para la mayoría de las necesidades se usa por lo general el apagador o switch del *tipo palanca de un polo*, el nombre palanca sólo quiere decir que es un apagador que opera en dos posiciones, arriba (ON) y abajo (OFF) para controlar el alumbrado desde dos o tres puntos diferentes, *se usan los apagadores de tres y cuatro vías.*

Si se quiere agregar un apagador sin tener que poner en la misma caja de instalación, un *switch doble* puede ser la solución, ya que toma el mismo espacio que dos apagadores sencillos, los llamados *apagadores tipo balancín* (rocker) funcionan de la misma manera que los de palanca, sólo que son ligeramente más fáciles de usar. *Los apagadores reguladores de intensidad (Dimmer)* permiten ajustar los niveles de iluminación de acuerdo a las necesidades, hay dos tipos: los rotatorios y los deslizantes.

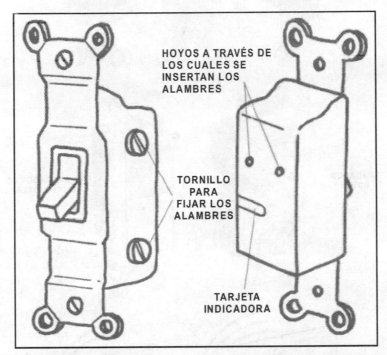

APAGADORES PARA ALUMBRADO

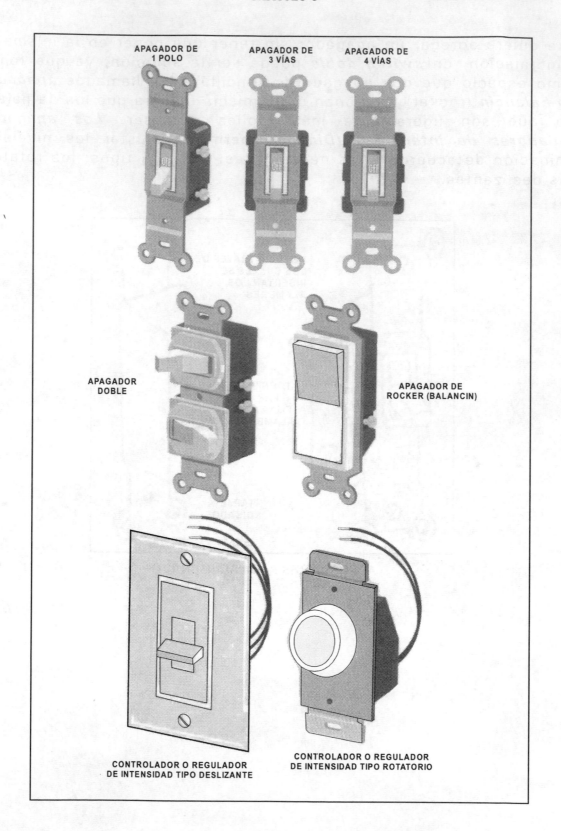

APAGADOR DE
1 POLO

APAGADOR DE
3 VÍAS

APAGADOR DE
4 VÍAS

APAGADOR
DOBLE

APAGADOR DE
ROCKER (BALANCIN)

CONTROLADOR O REGULADOR
DE INTENSIDAD TIPO DESLIZANTE

CONTROLADOR O REGULADOR
DE INTENSIDAD TIPO ROTATORIO

ELEMENTOS DE INSTALACIONES ELÉCTRICAS

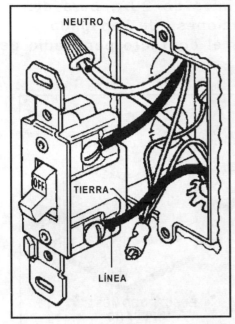
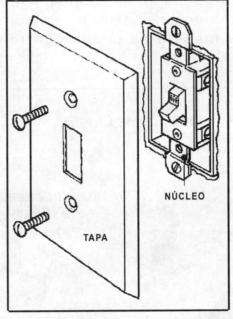

NEUTRO

TIERRA

OFF

LÍNEA

NÚCLEO

TAPA

CONECTOR
PLÁSTICO

COLA
DE
PUERCO

CONEXIÓN TÍPICA
COLA DE PUERCO

CONEXIÓN DE UN APAGADOR DE 1 POLO   MONTAJE DE LA PLACA PARA APAGADOR

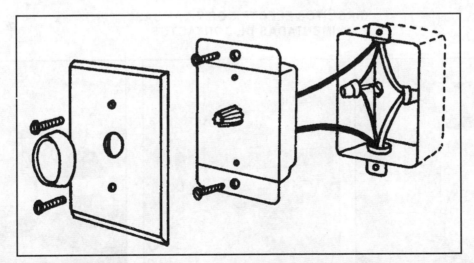

INSTALACIÓN DE UN APAGADOR REGULADOR PARA LÁMPARA INCANDESCENTE

| 3.5 | **SELECCIÓN Y APLICACIÓN DE CONTACTOS.** |

Los contactos o tomas de corriente, son los dispositivos que se usan para conectar a los distintos aparatos electrodomésticos, electrónicos, lámparas de pie o de mesa, etcétera que se usan en casas y oficinas. Los contactos pueden ser de 15A (la mayoría) y para algunas aplicaciones especiales de 20A, para ciertas aplicaciones, también se tienen combinaciones de apagador con contacto, de esta manera se puede controlar el contacto por medio del apagador.

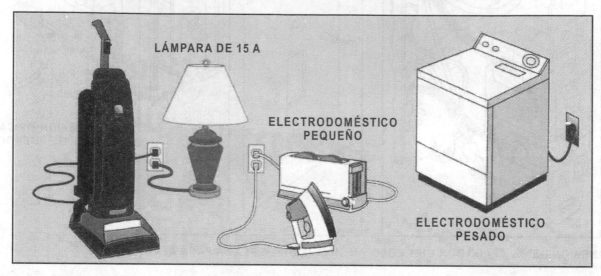

LÁMPARA DE 15 A

ELECTRODOMÉSTICO PEQUEÑO

ELECTRODOMÉSTICO PESADO

CIRCUITOS ELÉCTRICOS Y CARGAS ALIMENTADAS DE CONTACTOS

CONTACTO PARA ELECTRODOMÉSTICO EN COCINA

CONTACTO PARA ELECTRODOMÉSTICO EN BAÑO

CONTACTO PARA ELECTRODOMÉSTICO EN JARDÍN

Los contactos se localizan en los puntos que sean más convenientes en las distintas áreas de una casa y se alambran a través de los tubos conduit instalándose en cajas, como se muestra en la figura:

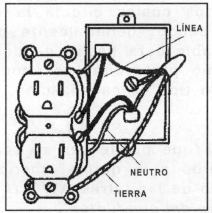

SALIDA A LA MITAD DEL CIRCUITO

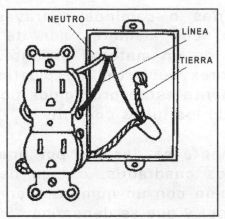

SALIDA AL FINAL DEL CIRCUITO

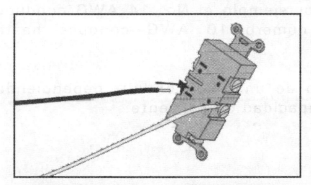

ALAMBRADO DE UN CONTACTO TIPO RANURA

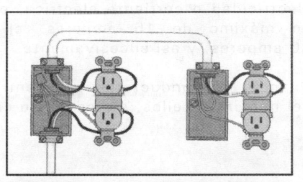

PARA AGREGAR UN CONTACTO A UN CIRCUITO EXISTENTE, SE LLEVAN LOS ALAMBRES A UN CONTACTO EXISTENTEQUE VA A SER EL NUEVO

SE ACOMODAN LOS CONDUCTORES CUIDADOSAMENTE EN LA CAJA, SE COLOCAN LOS TORNILLOS DEL CONTACTO A LA CAJA Y SE ALINEAN LAS PLACAS ANTES DE APRETAR LOS TORNILLOS

3.6 SELECCIÓN DE CONDUCTORES Y CABLES.

Los cables, alambres y cordones, que se refieren genéricamente como ***conductores*** son las trayectorias o caminos a través de los cuales circula la corriente eléctrica. Los alambres son de tipo sólido, generalmente de cobre cubierto de un material aislante. El cable está hecho de dos o más conductores cubiertos de plástico como protección, los conductores regularmente están protegidos por algún tipo de canalización, como es el caso de los tubos conduit.

Normalmente se designa por una galga que puede ser su sección en milímetros cuadrados, o bien de acuerdo a la norma americana una designación con un número acompañado de las letras AWG (**A**merican, **W**ire **G**age) y que se denomina *"El calibre del conductor"*.

Los diferentes calibres indican que conducen distintas cantidades de electricidad o corriente eléctrica, por ejemplo el No. 14 AWG conduce un máximo de 15 amperes, el número 10 AWG conduce hasta 30 amperes, y así sucesivamente.

Cuando los conductores van dentro de un tubo conduit, dependiendo del número de ellos, se reduce su capacidad de corriente.

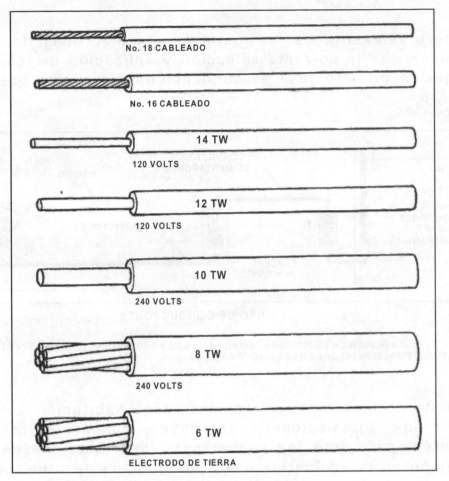

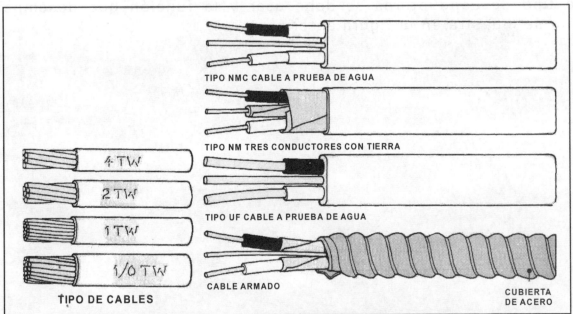

DISTINTOS TIPOS DE CONDUCTORES USADOS EN INSTALACIONES ELÉCTRICAS

ELEMENTOS DE INSTALACIONES ELÉCTRICAS

Un aspecto relevante de las instalaciones eléctricas del llamado tipo convencional, es la correcta selección y aplicación de los conductores, por lo que la primera fase es conocer cuál es el uso que se da a los conductores.

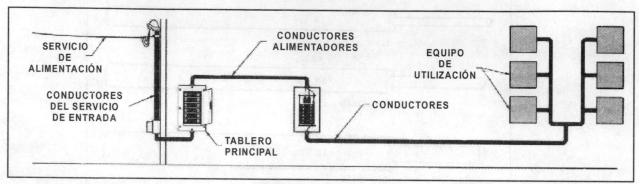

USO DE CONDUCTORES

EN UNA INSTALACIÓN ELÉCTRICA SE PUEDEN UTILIZAR 3 TIPOS DE CONDUCTORES, LOS DE SERVICIO DE ENTRADA, LOS CONDUCTORES ALIMENTADORES Y LOS CIRCUITOS DERIVADOS.

En las instalaciones eléctricas de las casas habitación y en general en otro tipo de instalaciones, se deben aplicar correctamente los conductores, para esto, es conveniente identificar, desde el punto de alimentación en la acometida hasta los equipos de utilización o cargas, qué tipo de conductores se debe usar y la función que desempeñan, como se muestra en la figura anterior.

ELEMENTOS DE INSTALACIONES ELÉCTRICAS

CAPACIDADES DE CORRIENTE PARA CABLES
DE USO RESIDENCIAL

TAMAÑO AWG	TIPO DE AISLAMIENTO	CONDUCTOR DE COBRE CAPACIDAD DE CORRIENTE	
		USO ORDINARIO	ENTRADA DE SERVICIO
4/0	THW, THWN	230	250
2/0	THW, THWN	175	200
1/0	THW, THWN	150	175
1/0	TH	125	NA
1	THW, THWN	130	150
2	THW, THWN	115	125
2	TW	95	NA
4	THW, THWN	85	100
4	TW	70	NA
6	THW, THWN	65	NA
6	TW	55	NA
8	THW, THWN	50	NA
8	TW	40	NA
10	THW, THWN	35	NA
10	TW	30	NA
12	THW, THWN	25	NA
14	THW, THWN	20	NA

CAPACIDAD DE CORRIENTE DE CONDUCTORES EN TUBO METÁLICO (CONDUIT)

TIPO DE CONDUCTOR	CALIBRE AWG	MÁXIMO NÚMERO DE CONDUCTORES EN TUBO METÁLICO				
		½ PULG (13 mm)	¾ PULG (19 mm)	1 PULG (25 mm)	1 ¼ PULG (32 mm)	1 ½ PULG (38 mm)
TW	14	8	15	25	43	58
	12	6	11	19	33	45
	10	5	8	14	24	33
	8	2	5	8	13	18
TWH	14	6	10	16	28	39
	12	4	8	13	23	31
	10	3	6	10	18	24
	8	1	4	6	10	14
THHN THWN	6	2	4	7	12	16
	4	1	2	4	7	10
	3	1	1	3	6	8
	2	1	1	3	5	7
	1	1	1	1	4	5

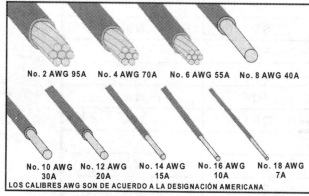

CAPACIDADES DE CORRIENTES PARA TAMAÑOS (CALIBRES) Y TIPOS DE CONDUCTORES.

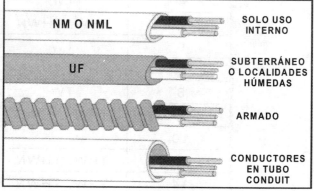

CABLES CON CUBIERTA NO METÁLICA

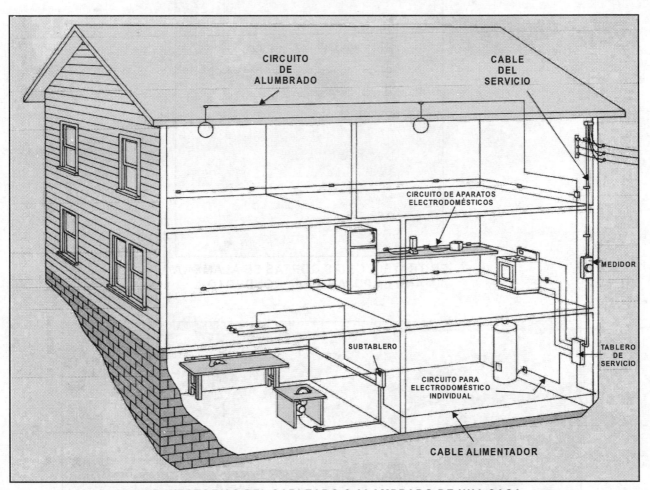

TRAYECTORIAS DEL CABLEADO O ALAMBRADO DE UNA CASA

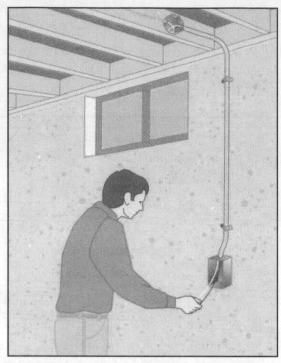

**EN TRAYECTORIAS CORTAS SE ALAMBRA
A MANO EMPUJANDO EL CONDUCTOR.**

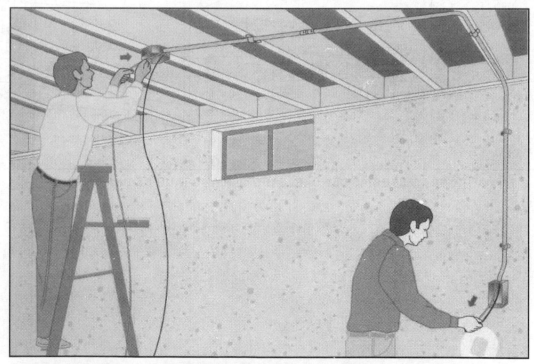

ALAMBRADO CON UNA GUIA

En la realización de las instalaciones eléctricas, un aspecto importante es la correcta ejecución del alambrado o introducción de los conductores en las canalizaciones o tubos conduit para interconectar salidas para luminarias, apagadores, contactos, etc.

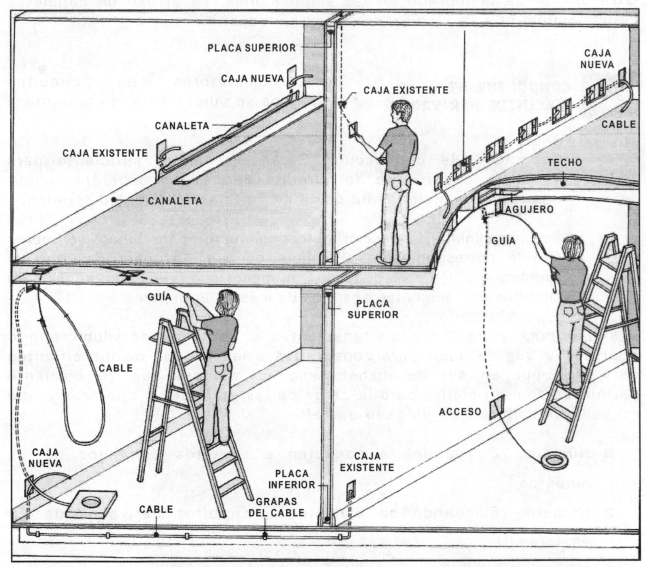

ALAMBRADO PARA UNA AMPLIACIÓN DE SALIDAS

En las instalaciones eléctricas, con frecuencia es necesario hacer modificaciones para ampliar el número de salidas para contactos y/o luminarias, y por supuesto los apagadores de control de estos dispositivos; estas modificaciones se pueden hacer a través de las canalizaciones existentes, cuando hay capacidad para absorber más conductores, respetando los máximos admisibles, para lo cual se usan las mismas técnicas de alambrado para instalaciones nuevas.

Otra opción de alambrado en las ampliaciones, es el uso de canaletas superficiales, que se alambran en forma independiente.

3.7 CONDUCTOR DE CIRCUITOS DERIVADOS.

Los conductores de circuitos derivados se sujetarán a lo siguiente:

a)   **Capacidad de conducción.** Serán de calibre suficiente para conducir la corriente del circuito derivado y deberán cumplir con las disposiciones de caída de voltaje y capacidad térmica.

b)   **Sección mínima.** La sección de los conductores no deberá ser menor que la correspondiente al calibre número 14, para circuitos de alumbrado y aparatos pequeños, ni menor que la del número 12 para circuitos que alimenten aparatos de más de 3 amperes.

Los *alambres* y *cordones* pertenecientes a unidades de alumbrado o aparatos y que se usen para conectarlos a las salidas de los circuitos derivados pueden ser de menor sección, siempre que su corriente permitida sea suficiente para la carga de las unidades o aparatos y que no sean de calibre más delgado que el:

◙ Número 18 cuando se conecten a circuitos derivados de 15 amperes.

◙ Número 16 cuando se conecten a circuitos derivados de 20 amperes.

◙ Número 14 cuando se conecten a circuitos de 30 amperes.

◙ Número 12 cuando conecten a circuito de 50 amperes.

PROTECCIÓN CONTRA SOBRECORRIENTE.

Cada conductor de un circuito derivado **no** conectado a tierra, deberá protegerse contra corrientes excesivas por medio de dispositivos de protección contra sobrecorriente. La capacidad de estos dispositivos cuando no sean ajustables, o su ajuste cuando si lo sean, deberá ser como sigue:

a) No deberá ser mayor que la corriente permitida para los conductores del circuito.

b) Si el circuito abastece únicamente a un solo aparato con capacidad de: 10 amperes o más, la capacidad o ajuste del dispositivo contra sobrecorriente, no deberá exceder del 150 por ciento de la capacidad del aparato.

c) Los alambres y cordones para circuitos derivados pueden considerarse protegidos por el dispositivo de protección contra sobrecorriente del circuito derivado.

DISPOSITIVOS DE SALIDA.

Los dispositivos de salida de los circuitos derivados deberán cumplir con lo siguiente:

a) **PORTALÁMPARAS.** Los portalámparas deberán tener una capacidad no menor que la carga por servir y se recomienda que cuando estén conectados a circuitos derivados con capacidad de 20 amperes o más, sean del tipo para servicio pesado.

b) **CONTACTOS.** Los contactos deberán tener una capacidad no menor que la carga por servir y se recomienda que cuando estén conectados en circuitos derivados con dos o más salidas, tengan las siguientes capacidades:

CAPACIDAD DEL CIRCUITO	CAPACIDAD DE LOS CONTACTOS
	No. Mayor de:
15 Amps.	15 Amps.
20	20
30	20 ó 30
50	50

INSTALACIÓN DE APARATOS ELÉCTRICOS.

CORDONES FLEXIBLES. Los cordones flexibles usados para conectar aparatos eléctricos, deben cumplir con lo siguiente:

a) GENERAL. Los cordones flexibles pueden usarse para los fines siguientes:

a.1)Conexión de aparatos portátiles, a.2) conexión de aparatos fijos para facilitar su cambio frecuente o impedir la transmisión de ruidos o vibraciones, ó a.3) facilitar el movimiento o desconexión de aparatos fijos para mantenimiento o reparación.

b) Los cordones flexibles utilizados para conectar planchas, calentadores y demás aparatos eléctricos portátiles para producir calor, deben ser del tipo de cordones adecuados para usarse con resistencias eléctricas, tales como los tipos HDP, HS o HPN.

▪ CALENTADORES DE INMERSIÓN PORTÁTILES

Los calentadores de inmersión portátiles, deben estar construidos e instalados de tal forma que sus partes conductoras de corriente estén aisladas eléctricamente de la substancia en la cual se sumerjan.

▪ PROTECCIÓN DE MATERIALES COMBUSTIBLES.

Todo aparato calentado eléctricamente que por su tamaño, peso y servicio esté destinado a quedar en una posición fija, debe ubicarse en tal forma que exista una amplia protección entre el aparato y materiales combustibles adyacentes al mismo.

APARATOS DE CALEFACCIÓN A BASE DE LÁMPARAS INFRARROJAS.

a) Con lámparas infrarrojas de 300 watts o menos, pueden usarse portalámparas de porcelana de base media, sin apagador incorporado, o bien otro tipo de portalámparas aprobado para este uso.

b) No deben usarse portalámparas de casquillo roscado con lámparas infrarrojas de más de 300 watts, a menos que sean de un tipo aprobado especialmente para este uso.

c) Los portalámparas pueden conectarse a cualquiera de los circuitos derivados que cumplan con los requisitos de la NOM-001-SEDE; en locales industriales, pueden conectarse en serie en circuitos de más de 150 volts con respecto a tierra, siempre que la tensión nominal de los portalámparas no sea menor que la tensión del circuito.

UNIDADES DE AIRE ACONDICIONADO DE HABITACIÓN.

Estos aparatos pueden conectarse mediante cordón y clavija, solamente en el caso que sean monofásicos y su tensión de operación no exceda de 250 volts. Si operan a una tensión mayor o son trifásicos, deben conectarse directamente a un circuito derivado (sin clavija). Los aparatos a que se refiere este artículo son enfriadores de aire de tipo hermético, de corriente alterna, para instalarse en ventanas, consolas o empotrados en paredes de habitación. Este artículo también se aplica aparatos de aire acondicionado que tengan provisión para calefacción.

- **PUESTA A TIERRA.**

Las partes metálicas expuestas no portadoras de corriente de aparatos eléctricos, deben conectarse a tierra en los casos indicados en el artículo 250 de la NOM-001-SEDE, que se refiere a la puesta a tierra.

CIRCUITOS DERIVADOS PARA ALUMBRADO.

Las normas técnicas para instalaciones eléctricas, permiten sólo el uso de circuitos derivados de 15 ó 20 amperes para alimentar unidades de alumbrado con portalámparas estándar. Los circuitos derivados mayores de 20 amperes, se permiten sólo para alimentar unidades de alumbrado fijas con portalámparas de uso rudo. En otras palabras, los circuitos derivados de más de 20 amperes no se permiten para alimentar habitaciones unifamiliares o en edificios de departamentos.

En la solución de cierto tipo de problemas en las instalaciones eléctricas, es necesario calcular el número de circuitos derivados que se requieren para alimentar una carga dada. El número de circuitos derivados está determinado por la carga y se calcula como:

$$\text{No. de circuitos} = \frac{\text{Carga total en watts}}{\text{Capacidad de cada circuito en watts}}$$

Un circuito de 15 amperes a 127 volts tiene una capacidad de: 15 x 127 = 1905 watts. Si el circuito es de 20 amperes a 127 volts, su capacidad es 20 x 127 = 2540 watts.

CARGA MÁXIMA A UN CONTACTO (RECEPTÁCULO) PARA APARATOS ELÉCTRICOS CON CORDÓN Y CLAVIJA

CAPACIDAD DE CONDUCCIÓN DE CORRIENTE NOMINAL DEL CIRCUITO (A)	CAPACIDAD DE CONDUCCIÓN DE CORRIENTE ADMISIBLE DE LA BASE (A)	CARGA MÁXIMA (A)
15 ó 20	15	12
20	20	16
30	30	24

CAPACIDAD DE CONDUCCIÓN DE CORRIENTE ADMISIBLE DE RECEPTÁCULOS EN CIRCUITOS DE DIVERSA CAPACIDAD

CAPACIDAD DE CONDUCCIÓN DE CORRIENTE NOMINAL DEL CIRCUITO (A)	CAPACIDAD DE CONDUCCIÓN DE CORRIENTE ADMISIBLE DE RECEPTÁCULO (A)
15	No más de 15
20	15 ó 20
30	30
40	40 ó 50
50	50

EJEMPLO

Calcular la corriente que demanda una carga monofásica de 1800 VA que se alimenta 127 V.

SOLUCIÓN

$$I = \frac{VA}{V} = \frac{1800\,VA}{127\,V} = 14.17\,A$$

EJEMPLO

Calcular la corriente en una carga trifásica de 8640 VA, que se alimenta a 220 V. por medio de un circuito derivado.

SOLUCIÓN

$$I = \frac{VA}{\sqrt{3} \, x \, V} = \frac{8640\,VA}{220 \, x \, 1.732}$$

$$I = 22.68\,A$$

EJEMPLO

Calcular el número de salidas o contactos permitidos en un circuito derivado de 20 A., que no opera con ciclo continuo y se alimenta a 127 V, monofásico.

SOLUCIÓN

Los circuitos derivados de alumbrado que operan en forma no continua, alimentando contactos, lámparas incandescentes o fluorescentes, se calculan al 100% de su capacidad total en VA. De acuerdo con la

CAPÍTULO 3

NOM-001-SEDE, se considera una carga de 180 watts (suponiendo que los contactos puedan estar conectados conjuntamente con salidas de alumbrado en el mismo circuito derivado).

$$I = \frac{VA \, x \, 100\%}{V} = \frac{180 \, x \, 1.0}{127} = 1.42 \; A \; por \; salida$$

$$No. \, salidas = \frac{Capacidad \; del \; circuito}{Corriente \; por \; salida} = \frac{20}{1.42} = 14$$

EJEMPLO

Calcular la carga de alumbrado para un circuito derivado que alimenta 10 balastras de lámparas fluorescentes con ciclo de operación en ciclo continuo.

SOLUCIÓN

La protección contra sobrecorriente de los circuitos derivados que alimentan las balastras de cargas eléctricas de alumbrado con lámparas de tipo fluorescente, de vapor de sodio de alta presión, vapor de sodio de baja presión, vapor de mercurio o similares, se dimensionará al 125% de la capacidad en VA de cada balastra. En estos casos **no se usan** los watts de cada lámpara. Para este ejemplo:

I = Amperes / balastra x No. de balastras

I = 1.5 x 10 = 15 A

La carga: Carga = I x 125% = 15 x 1.25 = 19A

EJEMPLO

Calcular el número de circuitos derivados de dos conductores requeridos para alimentar 30 balastras de 1.5 A., considerando que se usan interruptores de 20 A.

SOLUCIÓN

Carga = Corriente / balastra x No. de balastras

Carga = 1.5 x 30 = 45A

$$No. \ de \ interruptores = \frac{Carga}{Capacidad \ del \ interruptor}$$

$$No. \ de \ interruptores = \frac{45A}{20A} = 2.25A$$

De aquí: No. de circuitos = 3 de 20 A

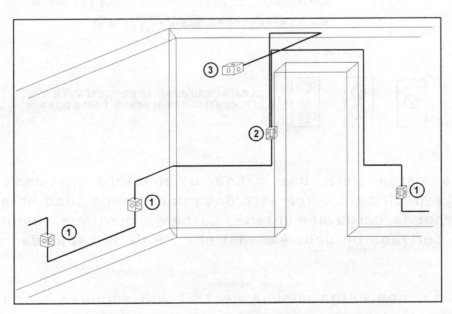

TRAYECTORIAS DE TUBO CONDUIT PARA ALAMBRADO DE CAJAS

PARA CONTACTOS, ① , APAGADOR, ② , Y SALIDA DE ALUMBRADO,③

3.8 NÚMERO DE SALIDAS EN UN CIRCUITO DERIVADO DE USO GENERAL.

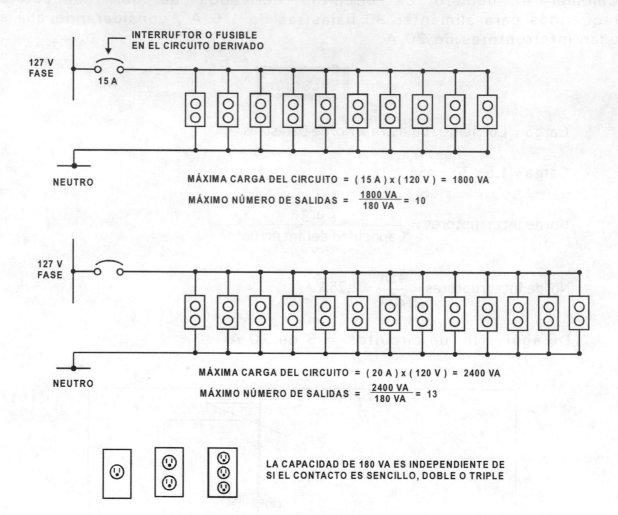

INTERRUPTOR O FUSIBLE
EN EL CIRCUITO DERIVADO

127 V
FASE

15 A

NEUTRO

MÁXIMA CARGA DEL CIRCUITO = (15 A) x (120 V) = 1800 VA

MÁXIMO NÚMERO DE SALIDAS = $\frac{1800\ VA}{180\ VA}$ = 10

127 V
FASE

NEUTRO

MÁXIMA CARGA DEL CIRCUITO = (20 A) x (120 V) = 2400 VA

MÁXIMO NÚMERO DE SALIDAS = $\frac{2400\ VA}{180\ VA}$ = 13

LA CAPACIDAD DE 180 VA ES INDEPENDIENTE DE
SI EL CONTACTO ES SENCILLO, DOBLE O TRIPLE

La mínima carga para una salida o contacto instalada para una aplicación especifica o carga está dada por la capacidad en amperes del aparato o por la carga alimentada. La carga continua suministrada por el circuito derivado no debe exceder al 80% de la capacidad del circuito derivado.

En este caso, una carga mínima de 180 volt-amperes se debe permitir para cada contacto de uso general.

En la figura anterior, se muestra el número máximo de contactos de uso general que se pueden permitir en circuito derivados de 15A ó 20A. Se usan contactos de 180 VA por punto de salida.

¿Cuántas salidas de ciclo de operación no continuo se permite conectar a un dispositivo de protección (fusible o interruptor) de 15 A., en un circuito derivado a 127 V?

SOLUCIÓN

$$\text{No. salidas} = \frac{\text{Capacidad del dispositivo de protección}}{1.5A \times 100\%}$$

$$\text{No. salidas} = \frac{15A}{1.5A \times 1.0} = 10$$

EJEMPLO

¿Cuántas salidas se permite conectar a un circuito derivado de 127 V., al que se conectan cargas de operación continua, si está protegido por un interruptor de 20 A?

SOLUCIÓN

$$\text{No. de salidas} = \frac{20A}{1.5A \times 1.25} = 10.7 \qquad \text{Se toman 10 salidas.}$$

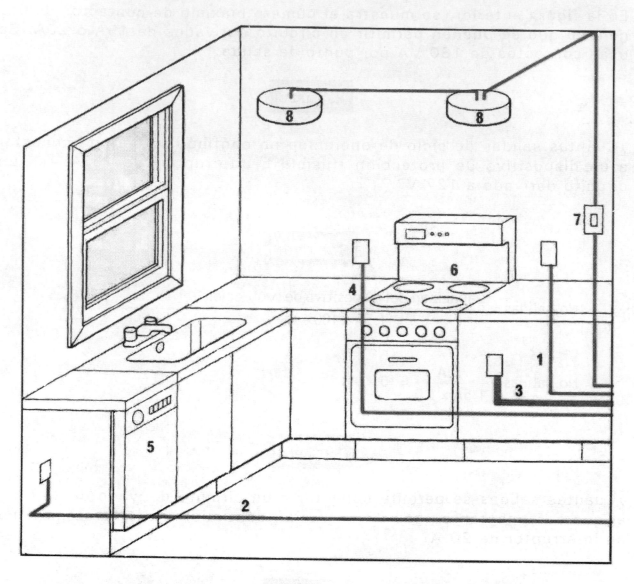

1.- CIRCUITO A 120 V PARA REFRIGERADOR O APARATOS PEQUEÑOS
2.- CIRCUITO A 120 V PARA LAVAPLATOS
3.- CIRCUITO PARA LA ESTUFA
4.- SALIDA PARA CARGAS PEQUEÑAS
5.- LAVAPLATOS
6.- ESTUFA
7.- APAGADOR
8.- LÁMPARAS

CIRCUITOS DERIVADOS DE UNA COCINA MODERNA

ELEMENTOS DE INSTALACIONES ELÉCTRICAS

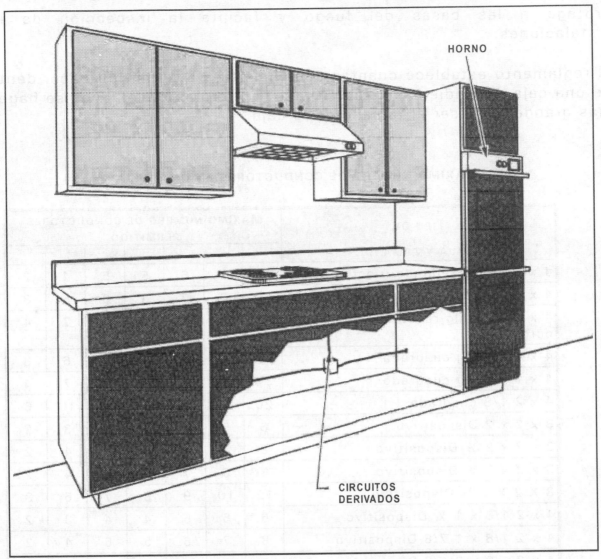

HORNO

CIRCUITOS
DERIVADOS

EN LA INSTALACIÓN DE COCINAS SE PUEDEN USAR DERIVACIONES EN LOS CIRCUITOS

3.9 SELECCIÓN Y APLICACIÓN DE CAJAS. Una caja eléctrica tiene una función primaria, que es alojar las conexiones eléctricas, estas conexiones pueden ser a un apagador, a un contacto o a una lámpara o luminaria o bien a otros grupos de alambres.

La NOM-001-SEDE especifica que todas las conexiones de los alambres se encuentren dentro de una caja metálica o de plástico y cada caja debe estar accesible, es decir no se puede cubrir en las paredes, esto protege a las casas del fuego y facilita la inspección de las instalaciones.

El reglamento establece cuantas conexiones esta permitido hacer dentro de una caja dependiendo de su tamaño, entre más conexiones se hagan, más grande debe ser el tamaño de la caja.

MÁXIMO NÚMERO DE CONDUCTORES EN UNA CAJA

TIPO DE CAJA Y TAMAÑO	MÁXIMO NÚMERO DE CONDUCTORES PERMITIDO						
4 x1 ¼ pulg redondo u octogonal	8	7	6	5	5	4	2
4 x 1 ½ pulg redonda u octogonal	10	8	7	6	6	5	3
4 x 2 1/8 pulg redonda u octogonal	14	12	10	9	8	7	4
4 x 1 ¼ pulg cuadrada	12	10	9	8	7	6	3
4 x 1 ½ pulg cuadrado	14	12	10	9	8	7	4
4 x 2 1/8 cuadrada	20	17	15	13	12	10	6
3 x 2 x 2 Dispositivo	6	5	5	4	4	3	2
3 x 2 x 2 ½ Dispositivo	8	7	6	5	5	4	2
3 x 2 x 2 ½ Dispositivo	9	8	7	6	5	4	2
3 X 2 X 3 ½ Dispositivo	12	10	9	8	7	6	3
4 x 2 1/8 x 1 ½ Dispositivo	6	5	5	4	4	3	2
4 x 2 1/8 x 1 7/8 Dispositivo	8	7	6	5	5	4	2
4 x 2 1/8 x 2 1/8 Dispositivo	9	8	7	6	5	4	2
3 ¾ x 2 x 2 ½ Dispositivo	9	8	7	6	5	4	2
3 ¾ x 2 x 3 ½ Dispositivo	14	12	10	9	8	7	4

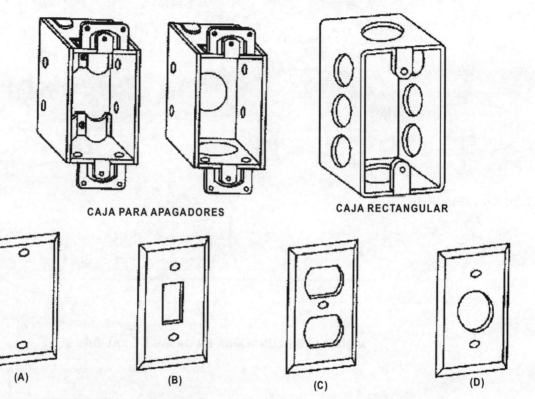

CAJA PARA APAGADORES   CAJA RECTANGULAR

(A)   (B)   (C)   (D)

DISTINTOS TIPOS DE TAPAS
(A) TAPA CIEGA
(B) TAPA PARA APAGADOR
(C) TAPA PARA CONTACTO DOBLE
(D) TAPA PARA CONTACTO

ELEMENTOS DE INSTALACIONES ELÉCTRICAS

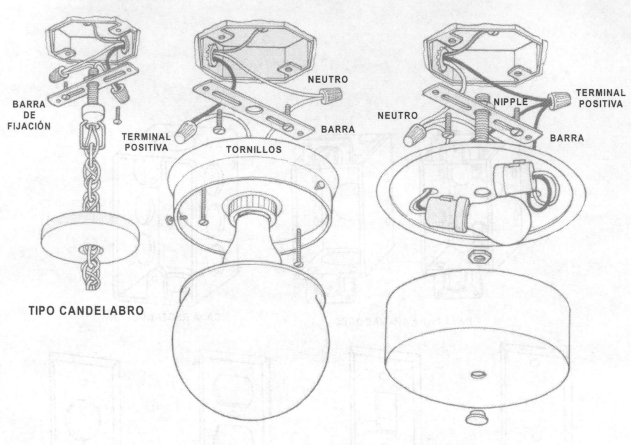

TIPO CANDELABRO

BARRA DE FIJACIÓN

TERMINAL POSITIVA

NEUTRO

BARRA

TORNILLOS

NEUTRO

NIPPLE

TERMINAL POSITIVA

BARRA

MONTAJE DE LUMINARIA EN CAJAS DE SALIDA

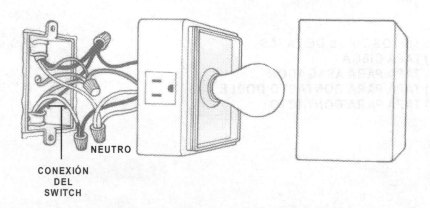

NEUTRO

CONEXIÓN DEL SWITCH

MONTAJE EN PARED CON CONTACTO

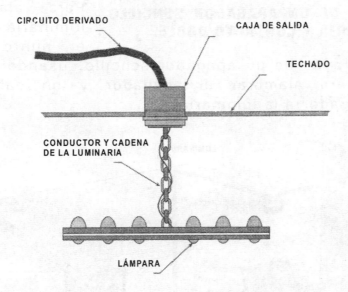

CIRCUITO DERIVADO

CAJA DE SALIDA

TECHADO

CONDUCTOR Y CADENA
DE LA LUMINARIA

LÁMPARA

LAS CAJAS DE SALIDA NO DEBEN SOPORTAR LUMINARIAS DE MÁS DE 22 Kg DE PESO

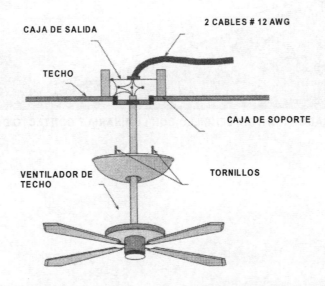

CAJA DE SALIDA

2 CABLES # 12 AWG

TECHO

CAJA DE SOPORTE

VENTILADOR DE
TECHO

TORNILLOS

APLICACIÓN DE CAJA OCTAGONAL PARA SOPORTAR UN VENTILADOR DE TECHO

3.10 ALAMBRADO DE UN APAGADOR SENCILLO CON LUMINARIA Y CONTACTO DOBLE.

Para alambrar una luminaria instalada en el punto medio de una trayectoria, a través de un apagador sencillo, usando un cable de dos conductores para alambrar el apagador y un cable de tres conductores del apagador a la luminaria.

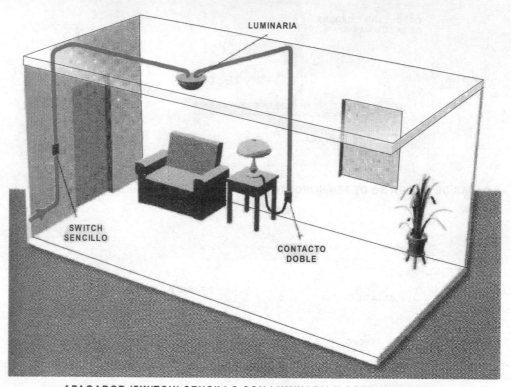

LUMINARIA

SWITCH SENCILLO

CONTACTO DOBLE

APAGADOR (SWITCH) SENCILLO CON LUMINARIA Y CONTACTO DOBLE

3.11	**ALAMBRADO DE UN CONTACTO EN DERIVACIÓN CONTROLADO POR UN APAGADOR FINAL.**

En esta configuración, la mitad de un contacto en derivación está alimentada por un apagador localizado en el extremo de la trayectoria del circuito. La otra mitad del contacto está permanentemente alimentada.

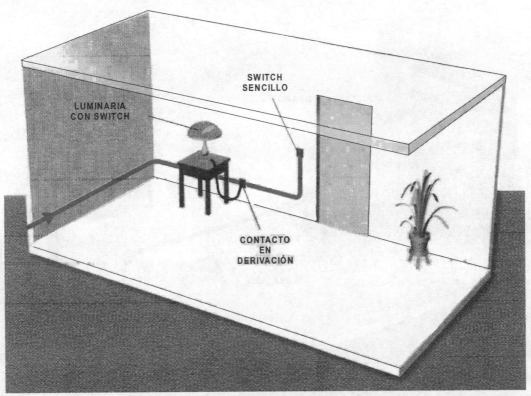

CONTACTO EN DERIVACIÓN CONTROLADO POR UN APAGADOR AL FINAL

ELEMENTOS DE INSTALACIONES ELÉCTRICAS

ALAMBRADO DE UN CONTACTO DOBLE CON UN CONTACTO EN DERIVACIÓN CONTROLADO POR UN APAGADOR AL FINAL.

Para instalar un contacto en derivación controlado por un apagador se retira la lengüeta del contacto. Usando un cable de dos conductores se conecta el apagador a la alimentación. Uno de los conductores vivos del apagador conecta cada mitad del apagador.

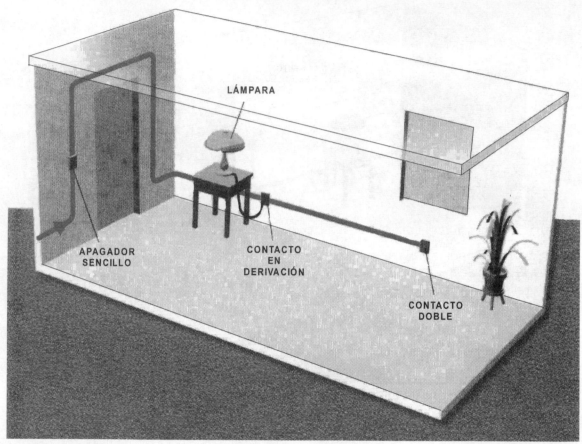

CONTACTO DOBLE CON CONTACTO EN DERIVACIÓN CONTROLADO POR APAGADOR AL FINAL

ELEMENTOS DE INSTALACIONES ELÉCTRICAS

| 3.12 | ALAMBRADO DE UN CONTACTO DOBLE CON UN CONTACTO EN DERIVACIÓN CONTROLADO POR APAGADOR AL FINAL. |

En esta combinación, el contacto en derivación está localizado al inicio de la trayectoria del alambrado, una mitad del contacto está controlado por el apagador y la otra del contacto está siempre energizada y alimenta el resto del circuito.

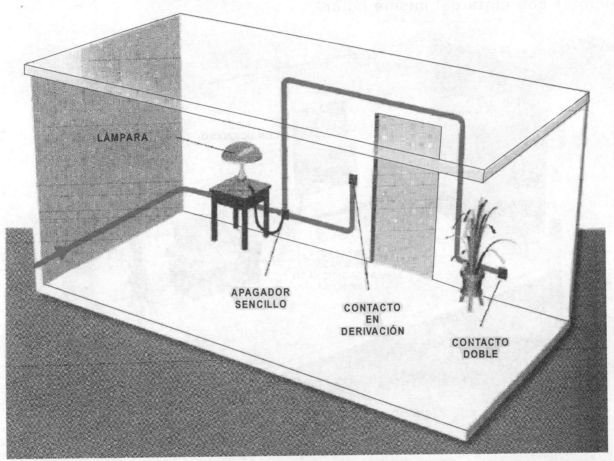

CONTACTO DOBLE CON CONTACTO EN DERIVACIÓN CONTROLADO POR APAGADOR AL FINAL

| 3.13 | ALAMBRADO DE UN CONTACTO A 220V PARA ELECTRODOMÉSTICO. |

Algunos electrodomésticos mayores usan 220 V para su operación, alimentados en forma monofásica con dos conductores y tierra. En este caso, el electrodoméstico puede ser un equipo de aire acondicionado tipo ventana, para esto, se instala el conductor vivo o energizado a una terminal y el conductor energizado de otro color (generalmente negro) a la otra terminal, para indicar que son conductores energizados se deben encintar con cinta del mismo color.

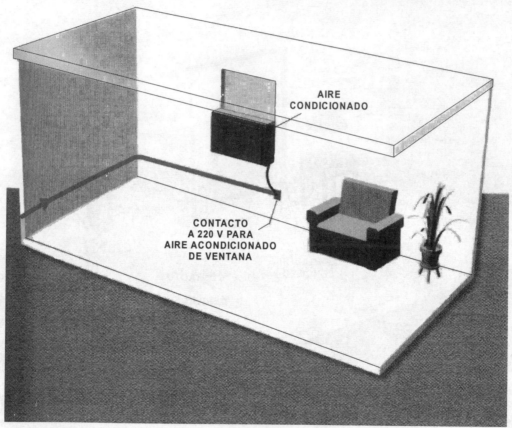

AIRE CONDICIONADO

CONTACTO A 220 V PARA AIRE ACONDICIONADO DE VENTANA

CONTACTO DE 220 V PARA ELECTRODOMÉSTICO

| 3.14 | **ALAMBRADO DE UN CONTACTO DE 127-220V PARA ELECTRODOMÉSTICO.** |

Para esta instalación se usan 3 conductores, en donde los de color rojo y negro proporcionan 220V y cualquiera de ellos con otro conductor de color blanco, proporciona 127V. Para electrodomésticos que operan a este voltaje, este tipo de contactos no tiene terminal de tierra.

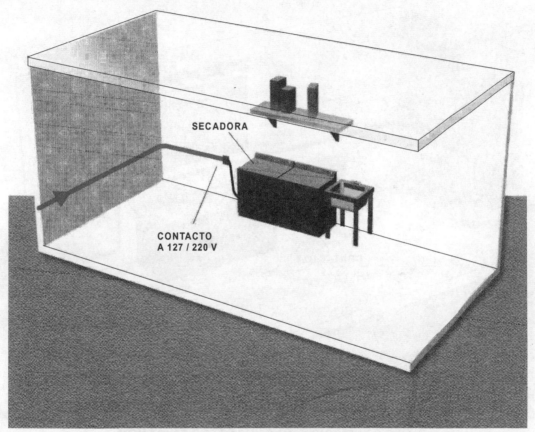

SECADORA

CONTACTO A 127 / 220 V

CONTACTO A 127 / 220 V PARA ELECTRODOMÉSTICO

ELEMENTOS DE INSTALACIONES ELÉCTRICAS

3.15	**ALAMBRADO Y LOCALIZACIÓN DE CONTACTOS EN BAÑOS.**

Todos los contactos de baños que estén localizados dentro de un rango de 1.80 m con relación a un fregadero o lavabo, deben ser del tipo *"protegido contra tierra"* y se debe conectar la alimentación del cable a las terminales de línea en forma de trayectoria corrida, como se muestra en la figura:

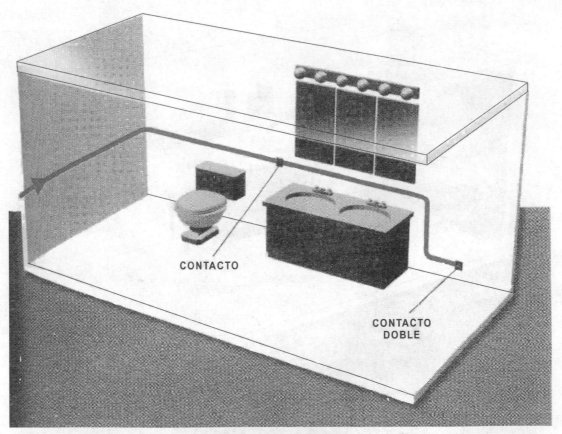

LOCALIZACIÓN DE CONTACTOS EN BAÑOS

| 3.16 | ALAMBRADO Y LOCALIZACIÓN DE CONTACTOS EN COCINAS. |

En el alambrado para contactos en cocinas, en donde normalmente se van a conectar aparatos electrodomésticos, se deben usar contactos de uso general y contactos dobles, alambrados en una misma trayectoria de alimentación.

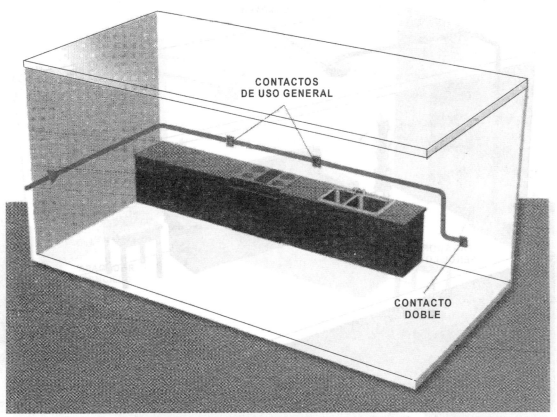

LOCALIZACIÓN DE CONTACTOS EN COCINA

3.19 APAGADOR DOBLE EN CUADRILLA PARA ACCIONAR LUMINARIA AL FINAL DE LA TRAYECTORIA.

En este alambrado se alimenta a través de los switches o apagadores primero, y luego, se va hacia las lámparas o luminarias. Para las conexiones del alambrado se requiere sólo de un cable con dos conductores, los apagadores ocupan una caja con doble capacidad (en cuadrilla).

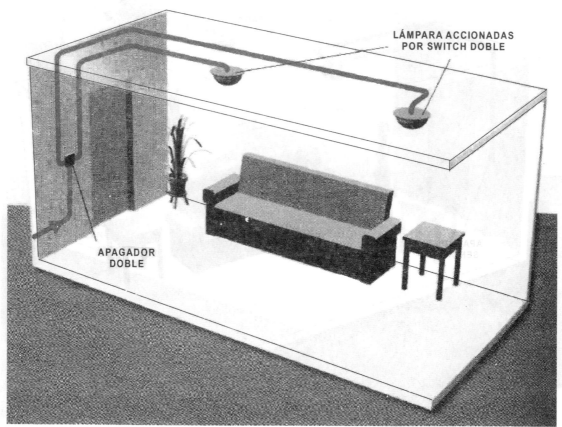

LÁMPARA ACCIONADAS POR SWITCH DOBLE

APAGADOR DOBLE

LUMINARIA O LÁMPARA ACCIONADAS POR SWITCH DOBLE

3.20 APAGADOR DE TRES VÍAS CON LUMINARIA AL FINAL DE LA TRAYECTORIA DEL ALAMBRADO.

En este alambrado, la alimentación va del primer apagador a través del segundo y de éste a la lámpara o luminaria. Un cable de tres conductores y tierra corre entre los apagadores, un cable de dos conductores corre entre el segundo apagador y la lámpara o luminaria.

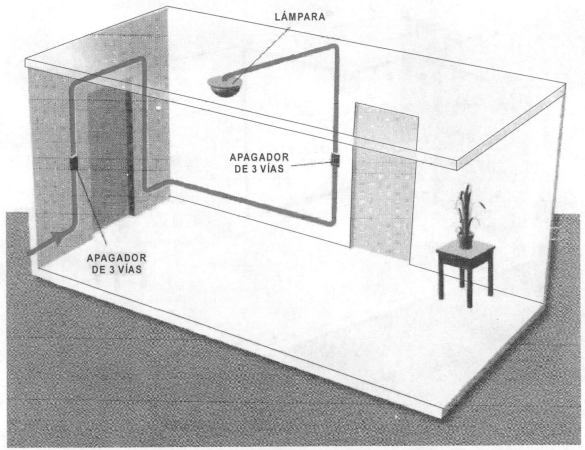

LÁMPARA

APAGADOR DE 3 VÍAS

APAGADOR DE 3 VÍAS

APAGADOR DE 3 VÍAS CON LUMINARIA AL FINAL

ELEMENTOS DE INSTALACIONES ELÉCTRICAS

3.21 APAGADOR DE TRES VÍAS CON LUMINARIA AL PRINCIPIO.

En este alambrado, la alimentación entra a la luminaria por un cable con dos conductores y tierra, continúa al apagador de tres vías y regresa a la luminaria. Por medio de un cable con dos conductores se conecta al primer apagador y un cable de tres conductores corre entre los dos apagadores.

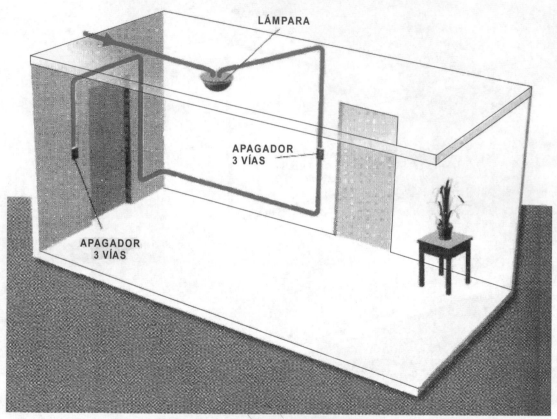

LÁMPARA

APAGADOR 3 VÍAS

APAGADOR 3 VÍAS

APAGADOR DE 3 VÍAS CON LUMINARIA AL PRINCIPIO

ELEMENTOS DE INSTALACIONES ELÉCTRICAS

3.22 APAGADOR DE TRES VÍAS CON LÁMPARA O LUMINARIA A LA MITAD DE LA TRAYECTORIA DEL ALAMBRADO.

En este alambrado, la luminaria se coloca entre los dos apagadores de tres vías, se alimenta por el primer apagador con un cable de dos conductores y tierra, pasa a través de la luminaria y procede al segundo apagador, de aquí regresa a la lámpara o luminaria por un cable con tres conductores.

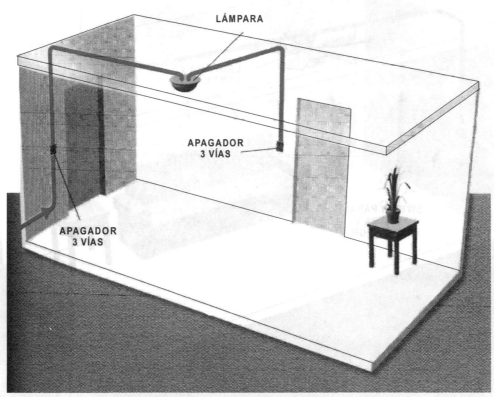

APAGADOR DE 3 VÍAS CON LÁMPARA A LA MITAD

ALAMBRADO DE UN APAGADOR DE TRES VÍAS

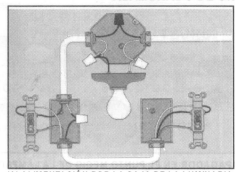

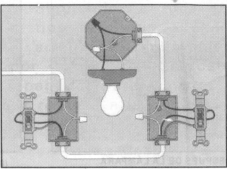

(A) ALIMENTACIÓN POR LA CAJA DE LA LUMINARIA　　(B) ALIMENTACIÓN POR UN APAGADOR

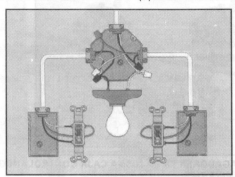

(C) ALIMENTACIÓN POR LA LUMINARIA

ALAMBRADO DE UN APAGADOR DE CUATRO VÍAS

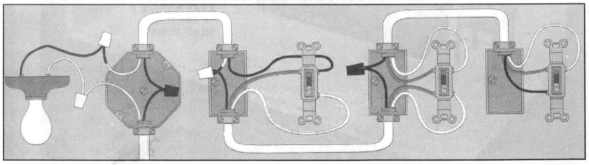

ELEMENTOS DE INSTALACIONES ELÉCTRICAS

REPARACIONES ELÉCTRICAS

4

4.1 **INTRODUCCIÓN** Para realizar cualquier reparación eléctrica en las casas, lo primero que se debe hacer es comprender el sistema eléctrico de las mismas, para esto se inicia con el tablero de servicio; cuando no se conoce qué interruptor o fusible controla un circuito dado en una casa, se debe hacer un mapa o dibujo del circuito, esto ayuda a aislar y reparar un problema cuando se presenta.

Algunas ayudas para reparar las instalaciones eléctricas pueden simplificar el trabajo y permitir una mejor compresión de las acciones a tomar, por ejemplo:

- Saber que los interruptores y los fusibles prevén incendios al no permitir que los conductores se sobrecalienten, por lo que nunca se debe reemplazar un interruptor o fusible por otro de mayor amperaje o capacidad de corriente.

- Se deben usar sólo lámparas, aparatos electrodomésticos, contactos y otro tipo de dispositivos eléctricos que sean de marcas reconocidas y estén aprobados por la norma oficial correspondiente (NOM en México).

- Se debe hacer una preinspección al sistema eléctrico de la casa para determinar si no se presenta alguna situación anómala.

- Probar los contactos, esta es una de las inspecciones que son relativamente sencillas de llevar a cabo, para esto, se requiere de un analizador de contactos, o bien probadores que permitan determinar el estado de un contacto.

- Instalar contactos a prueba de agua donde sea requerido, especialmente en las áreas exteriores.

- Todo el alambrado se debe hacer con los procedimientos correctos, cuidando que las conexiones en las cajas se aíslen y fijen y respetando los máximos espacios que se pueden ocupar.

4.2 CONTROLANDO LA ALIMENTACIÓN EN EL TABLERO DE SERVICIO.

Un tablero principal de servicio puede tener interruptores de tipo termomagnético (breakers) o fusibles. Existe un interruptor principal que controla la alimentación a todos los circuitos, los interruptores individuales controlan a los circuitos derivados separados.

- Antes de intentar cualquier reparación eléctrica, se debe encontrar o identificar al interruptor que controla al circuito sobre el que se va a trabajar y se debe desconectar el circuito colocando la palanca en la posición de FUERA (OFF).

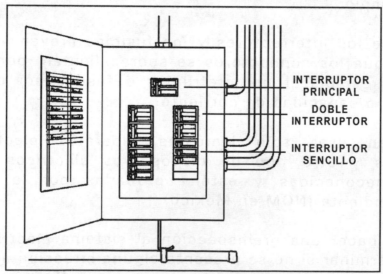

TABLERO DE SERVICIO CON LOS INTERRUPTORES

INTERRUPTOR PRINCIPAL

DOBLE INTERRUPTOR

INTERRUPTOR SENCILLO

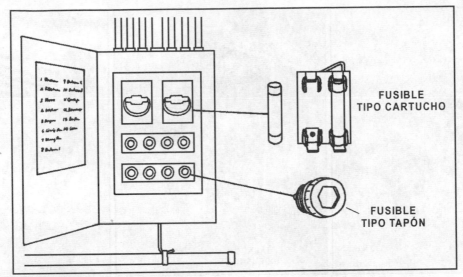

FUSIBLES TIPO CARTUCHO Y TAPÓN EN EL TABLERO DE SERVICIO

- Cuando falla la potencia o alimentación a un circuito, se debe verificar el tablero de servicio para observar si hay algún interruptor abierto o disparado, se debe tratar de restablecer al interruptor poniendo la posición DENTRO (ON). Si el interruptor se vuelve a disparar, entonces se debe revisar el circuito.

RETIRANDO Y REEMPLAZANDO UN FUSIBLE.

- Antes de intentar cualquier reparación eléctrica, se debe encontrar el fusible que controla al circuito sobre el cual se va a trabajar. Se corta la energía abriendo o desconectando el interruptor de navajas y retirando el fusible, para esto, se debe observar si se trata de fusibles tipo tapón o tipo cartucho.

- Si falla la alimentación o potencia a un circuito, se debe buscar si no hay algún *fusible fundido*, esto se puede hacer por observación, o bien con la ayuda de algún elemento que permita determinar si hay continuidad en el fusible. Esto se puede hacer con una lámpara de prueba o con un multímetro, también se puede usar el llamado *probador de continuidad.*

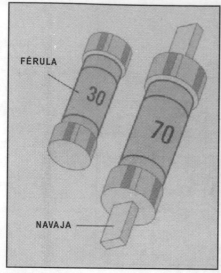

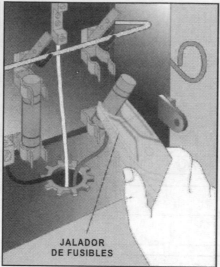

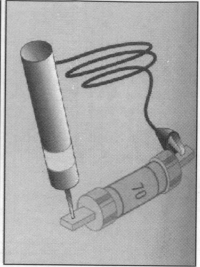

FÉRULA

NAVAJA

JALADOR
DE FUSIBLES

IDENTIFICACIÓN DE LA CAPACIDAD DE CORRIENTE EN UN FUSIBLE TIPO CARTUCHO.

RETIRANDO UN FUSIBLE TIPO CARTUCHO DE LA CAJA DE FUSIBLES. LA PALANCA SE DEBE BAJAR PRIMERO PARA QUE QUEDE EN POSICIÓN FUERA.

PARA DETERMINAR SI EL ELEMENTO FUSIBLE ESTÁ FUNDIDO, SE PUEDE USAR UN PROBADOR DE CONTINUIDAD COMO SE MUESTRA.

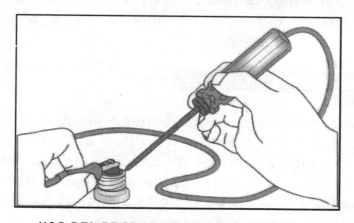

USO DEL PROBADOR DE CONTINUIDAD

EL ESTADO DE UN POSIBLE TIPO TAPÓN SE PUEDE DETERMINAR TAMBIÉN CON UN PROBADOR DE CONTINUIDAD, ESTA ES UNA FORMA DE SABER SI SE ENCUENTRA FUNDIDO.

- Para corregir una sobrecarga, se deben desconectar uno o dos aparatos electrodomésticos del circuito y cambiar el fusible. Cuando se sospecha de un cortocircuito, se debe tratar de encontrar el problema y corregirlo antes de cambiar el fusible.

RETIRANDO Y REEMPLAZANDO UN INTERRUPTOR.

Por lo general los interruptores (breakers) de los circuitos derivados se encuentran dentro de los tableros de servicio, en donde se tiene un interruptor principal al cual llega la alimentación de la compañía suministradora. Los circuitos derivados pueden ser de distinta capacidad o potencia y operar a diferente voltaje, esto hace que los interruptores sean de un polo o de doble polo, y es posible que se tengan aún en una misma casa, dependiendo de los electrodomésticos que se alimenten. También existe una barra de tierra o neutro que sirve para la conexión a tierra.

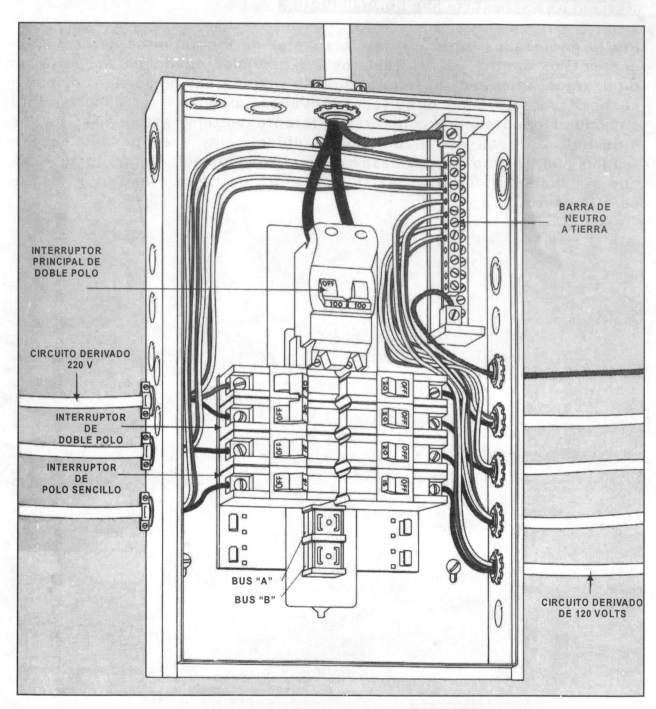

INTERRUPTOR
PRINCIPAL DE
DOBLE POLO

CIRCUITO DERIVADO
220 V

INTERRUPTOR
DE
DOBLE POLO

INTERRUPTOR
DE
POLO SENCILLO

BARRA DE
NEUTRO
A TiERRA

CIRCUITO DERIVADO
DE 120 VOLTS

BUS "A"

BUS "B"

TABLERO CON INTERRUPTORES PARA CIRCUITOS DERIVADOS

REPARACIONES ELÉCTRICAS

ALAMBRANDO UN CIRCUITO A UN ESPACIO LIBRE PARA UN INTERRUPTOR EN UN TABLERO.

El trabajo en un tablero de servicio invariablemente debe estar acompañado de las medidas de seguridad necesarias para prevenir accidentes, una recomendación es que se debe parar sobre una tabla de madera seca, o bien un tapete de hule o caucho con propiedades dieléctricas.

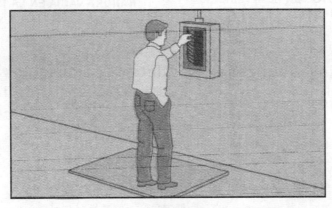

CUANDO SE TRABAJA DENTRO DE UN TABLERO DE SERVICIO, SE DEBE PARAR SOBRE UNA TABLA SECA

Para instalar un nuevo interruptor (breaker) en el tablero, se debe disponer de un espacio para ello o en su defecto retirar un interruptor en mal estado y reemplazar por otro nuevo.

En las siguientes figuras, se ilustra la forma de realizar esta operación, se recuerda que la posición del interruptor principal del tablero debe estar en FUERA (OFF), ya que es necesario usar destornilladores para retirar primero y colocar después los conductores en el interruptor.

También es necesario tener en cuenta que se debe tener cuidado con la conexión del neutro y a tierra en el tablero.

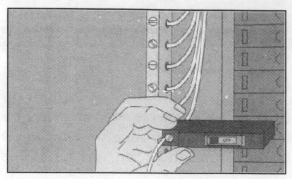

**SE INSTALA EL INTERRUPTOR (BREAKER)
EMPUJANDO SUS CONTACTOS EN EL INTERIOR
DE LAS RANURAS APROPIADAS**

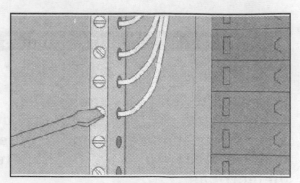

**SE DESLIZA EL EXTREMO DEL NEUTRO EN UNA
RANURA VACÍA EN LA TABLILLA DE CONEXIONES**

Con el tablero desenergizado, se deben colocar los conductores de neutro y tierra del nuevo circuito a la tierra dentro de la caja o gabinete del tablero.

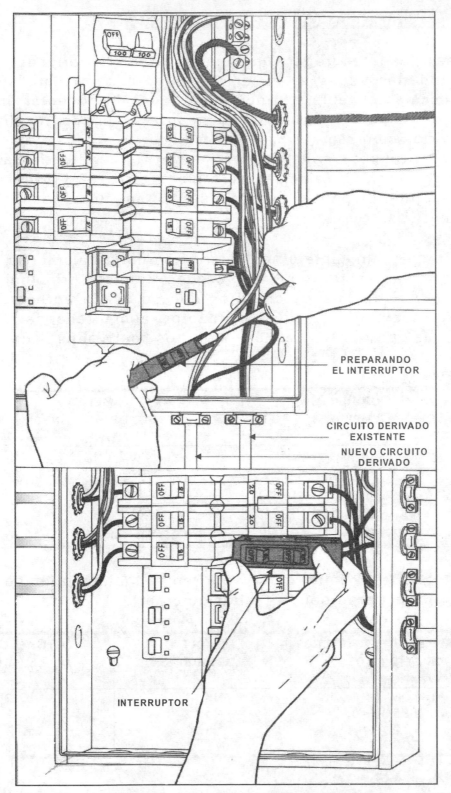

PREPARANDO
EL INTERRUPTOR

CIRCUITO DERIVADO
EXISTENTE

NUEVO CIRCUITO
DERIVADO

INTERRUPTOR

ALAMBRADO Y COLOCACIÓN DE UN NUEVO INTERRUPTOR EN UN TABLERO

MONTAJE DE UN TABLERO SECUNDARIO O SUBTABLERO.

Cuando se quiere agregar un nuevo circuito derivado al sistema eléctrico, algunas veces es mejor alimentar a un tablero secundario o versión a escala del tablero principal, en lugar de conectar directamente al tablero principal. El tablero secundario se puede localizar en una localidad o posición remota para poder hacer la labor de alambrado más sencilla, y entonces, sólo se debe llevar un cable de la capacidad adecuada del tablero principal al tablero remoto o secundario; este tablero secundario puede tener fusibles en lugar de interruptores termomagnéticos.

Antes de instalar un tablero secundario, se debe calcular la carga total que debe manejar, para estar seguro que el tablero principal no se va a sobrecargar por los nuevos circuitos que se van a agregar. El tamaño del tablero secundario y del conductor alimentador se determinan calculando la corriente de los circuitos derivados que se planea conectar.

CORRIENTE (AMPERES)	TAMAÑO RECOMENDADO DEL CONDUCTOR DE COBRE (AWG)
15	No. 14
20	No. 12
30	No. 10
40	No. 8
55	No. 6
70	No. 4

El conductor para el cable de servicio en el tablero principal, se puede seleccionar de acuerdo con la tabla siguiente:

CORRIENTE EN EL TABLERO DE SERVICIO (AMPERES)	CABLE DE COBRE	CABLE DE ALUMINIO
100	No. 4	No. 2
125	No. 2	No. 1/0
150	No. 1	No. 2/0
200	No. 2/0	No. 4/0

REPARACIONES ELÉCTRICAS

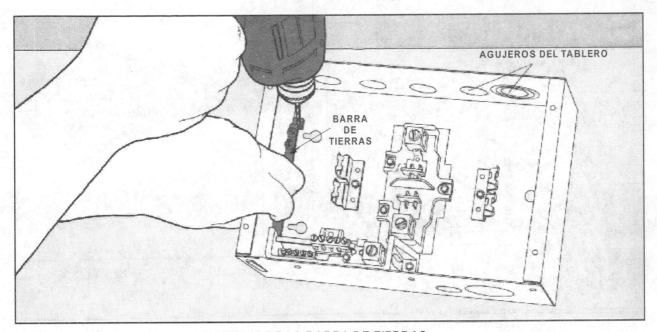

MONTAJE DE LA BARRA DE TIERRAS

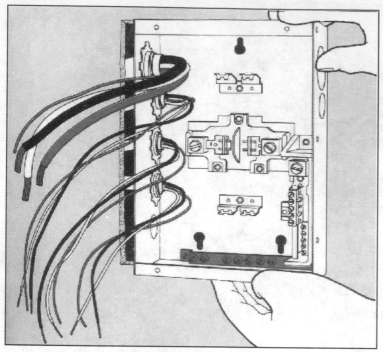

SE MONTA LA CAJA DEL TABLERO
SECUNDARIO EN LA PARED (EMPOTRADO)
ALAMBRANDO PRIMERO POR LOS LADOS.

MONTAJE DE LA CAJA

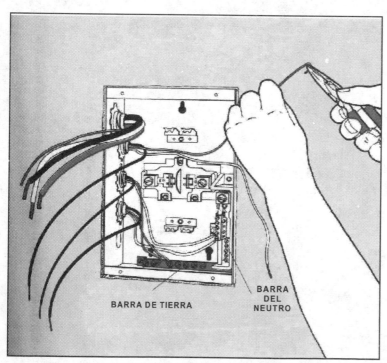

SE IDENTIFICAN Y CONECTAN
LOS CIRCUITOS DERIVADOS.

BARRA DE TIERRA

BARRA
DEL
NEUTRO

CONECTANDO LOS CIRCUITOS DERIVADOS

INSTALACIÓN DE UN SUBTABLERO O TABLERO SECUNDARIO

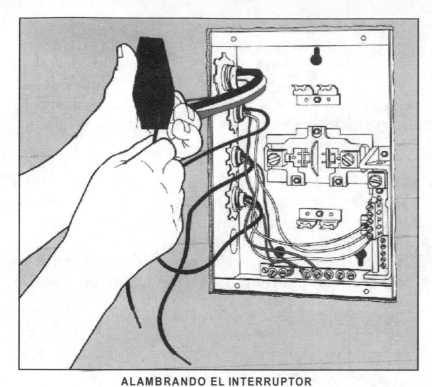

SE CONECTA EL CABLE O TERMINAL DE CADA INTERRUPTOR, OBSERVANDO QUE SEA DEL VALOR DE CORRIENTE APROPIADO.

ALAMBRANDO EL INTERRUPTOR

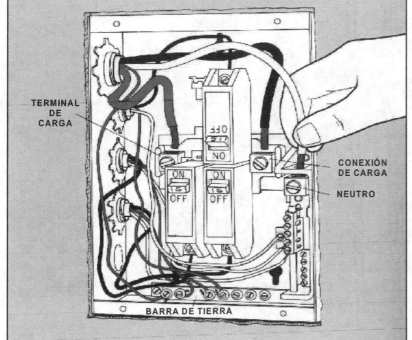

PARA CONECTAR EL CABLE ALIMENTADOR SE INSERTA LA LÍNEA DE CORRIENTE A LA CONEXIÓN DE CARGA Y EL NEUTRO A LA TERMINAL CORRESPONDIENTE.

TERMINAL DE CARGA

CONEXIÓN DE CARGA

NEUTRO

BARRA DE TIERRA

CONECTANDO EL CABLE ALIMENTADOR

REPARACIONES ELÉCTRICAS

4.3 CAMBIO DEL TABLERO PRINCIPAL DE SERVICIO.

Ocasionalmente es necesario poner en operación un nuevo tablero principal, por ejemplo, cuando se desea cambiar un tablero con fusibles, por un tablero con interruptores (breakers), o bien cuando resulta insuficiente y se hace necesario incorporar un mayor número de circuitos derivados.

El tablero de servicio es siempre la primera parte de un nuevo servicio que se debe instalar, por esta razón, cuando se trabaja en él, se debe asegurar siempre que la alimentación de la compañía suministradora se tenga fuera para trabajar en forma segura. Sólo se debe energizar cuando el tablero ha sido montado totalmente y también alambrado en sus circuitos derivados y cable de alimentación, así como el medidor o contador de energía.

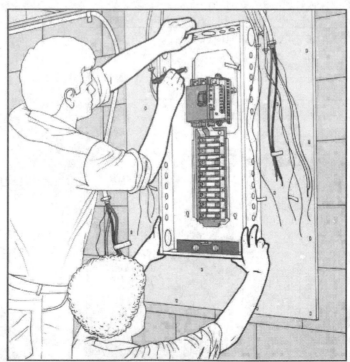

MONTAJE DEL TABLERO SOBRE UNA BASE DE MADERA

EL TABLERO SE DEBE MONTAR PREFERENTEMENTE SOBRE UNA BASE DE MADERA FIJA AL MURO PROCURANDO QUE QUEDE DEBIDAMENTE CENTRADO.

CONEXIÓN DEL CABLE DE TIERRA EN EL PANEL O TABLERO

**DE ACUERDO CON LAS NORMAS PARA INSTALACIONES ELÉCTRICAS,
SE DEBE TENER UNA CONEXIÓN A TIERRA APROPIADA.**

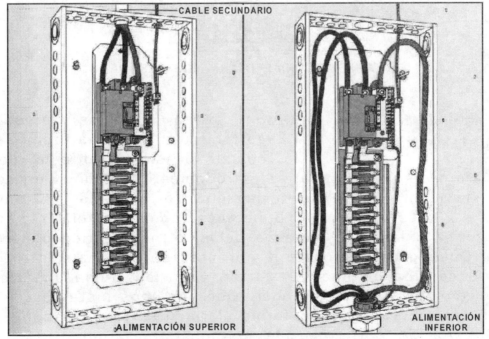

CONEXIÓN DE LOS CABLES DE ALIMENTACIÓN

REPARACIONES ELÉCTRICAS

En algunas instalaciones con cargas que son sensibles a los transitorios por descargas atmosféricas, se les instala un apartarrayos en el tablero principal.

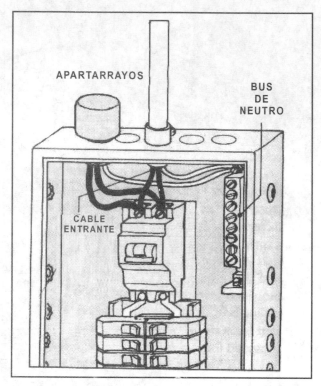

TABLERO CON APARTARRAYOS INTEGRADO

4.4 CONEXIÓN A TIERRA DEL SISTEMA ELÉCTRICO.

Se dice que se presenta un cortocircuito o una falla a tierra cuando ocasionalmente un cordón de una lámpara o de algún aparato electrodoméstico, o bien, un conductor de la instalación pierde su aislamiento o se pela, o también se desconecta y toca alguna parte metálica, como por ejemplo, una caja de conexiones o la parte metálica del electrodoméstico o herramienta eléctrica. Cuando esto sucede, la corriente que normalmente tiene una trayectoria cerrada en una instalación eléctrica, toma una *trayectoria corta* o un *cortocircuito*, de manera que por unos instantes el valor de la corriente se incrementa en forma alarmante, ya que adquiere varias veces el valor de corriente que normalmente circula, este valor de corriente de cortocircuito puede producir daños en aislamientos, al punto de producir que se quemen, pero también produce flameos y puede llegar a quemar superficies de contacto.

Debido a lo anterior, el sistema eléctrico necesita una tierra que puede ser tan simple como una conexión a los tubos de agua del sistema de alimentación, de manera que cuando ocurre una falla a tierra, la corriente eléctrica se drena hacia fuera a través del tubo de servicio de agua y se disipa en el suelo circundante.

En otros casos, las casas se pueden conectar a tierra directamente a través de varillas o electrodos que tienen una longitud de 2.40 a 3.05 m, se entierran generalmente en la parte exterior pegado a un muro o pared. En la siguiente figura, se muestra la forma de enterrar o instalar la varilla o electrodo de tierra y su conexión con los tubos de servicio de agua y gas.

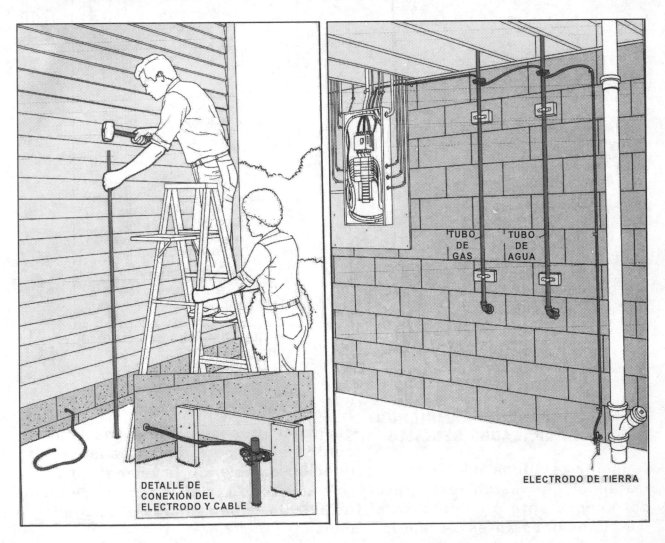

DETALLE DE CONEXIÓN DEL ELECTRODO Y CABLE

TUBO DE GAS

TUBO DE AGUA

ELECTRODO DE TIERRA

REPARACIONES ELÉCTRICAS

En los reglamentos de instalaciones eléctricas, se está requiriendo que cada sistema eléctrico sea conectado a tierra por las dos formas, es decir, a través de los tubos de agua y con el electrodo o varilla de tierra.

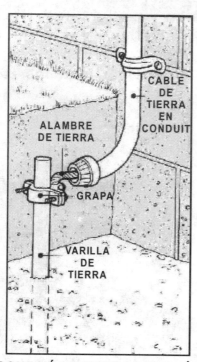

CONEXIÓN A TIERRA A TRAVÉS DE UNA VARILLA DE TIERRA.

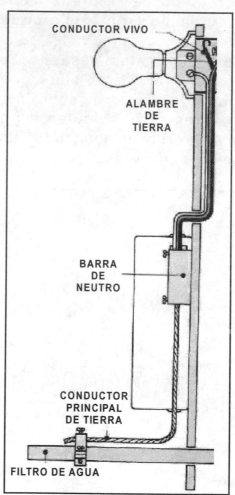

EL TUBO DE AGUA SIRVE COMO CONEXIÓN A TIERRA.

4.5 PROBANDO Y CAMBIANDO UN APAGADOR SENCILLO.

Antes de comenzar a realizar cualquier prueba, cuando una lámpara contro-lada por un apagador no funciona, se debe iniciar la investigación cambiando la lámpara o foco, tratando de restablecer (reset) el interruptor del circuito derivado correspondiente o cambiando el fusible. Se debe revisar el apagador y las conexiones antes de que lo cambien.

La mayoría de los apagadores tienen un tiempo de vida entre 10 y 20 años, y cuando finalmente fallan, se puede tomar la decisión de instalar un apagador nuevo, que puede ser inclusive de distinto tipo.

❶ Verificando voltaje.

- Se corta la alimentación al circuito en el tablero de servicio, poniendo en posición FUERA (OFF) el interruptor (breaker) correspondiente o retirando el fusible (según sea el caso) y los dos tornillos que sujetan la placa o cubierta.

- Se ajusta un multímetro en la escala de 250 V en C.A., cuando la caja es metálica se toca la misma con una de las puntas del probador y la otra punta a los conductores; el multímetro debe registrar voltaje cero en cada caso.

- Si cualquiera de las lecturas es mayor que cero, se debe regresar al tablero principal o de servicio para desconectar el circuito.

PROBANDO SI HAY VOLTAJE CON UN VOLTÍMETRO

❷ Retirando al apagador.

- Retirar los tornillos en la parte superior e inferior de la tapa.

- Sacar la base de montaje y retirar el apagador de la caja.

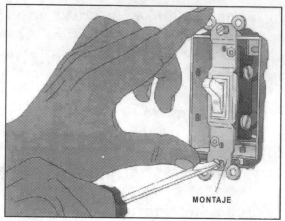

MONTAJE

MONTAJE DEL APAGADOR (SWITCH)

❸ Verificando las conexiones terminales.

- Usar un destornillador (desarmador) para apretar cualquier conexión suelta.

- Si las terminales de los alambres están quemadas o dañadas, se debe pelar una parte adicional para obtener el conductor en buen estado y entonces volver o conectar.

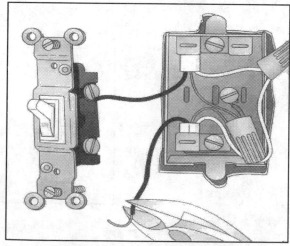

VERIFICANDO LA CONEXIÓN DE TERMINALES

❹   Probando la continuidad del apagador.

- Se aflojan los tornillos de las terminales y se desconectan los alambres para dejar libre al apagador.

- Se ajusta el multímetro a RX1 y se coloca el apagador en la posición DENTRO (ON), colocando cada terminal del multímetro en cada terminal del apagador, el medidor debe indicar continuidad, si ésta no se marca, se debe cambiar el apagador.

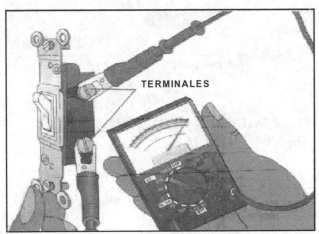

PROBANDO LA CONTINUIDAD DEL APAGADOR CON UN MULTÍMETRO

4.6   PRUEBA DEL APAGADOR CON UNA LÁMPARA NEÓN.

- Se retira la placa del apagador como se indicó antes, se saca el apagador de su caja, se coloca el apagador en la posición FUERA (OFF) y se restablece la alimentación al circuito donde está el apagador (esta alimentación se retiró al inicio de la revisión, por razones de seguridad) y se hace contacto con las puntas de las terminales otra vez, si el probador enciende en esta ocasión, el apagador está mal y es necesario que se cambie.

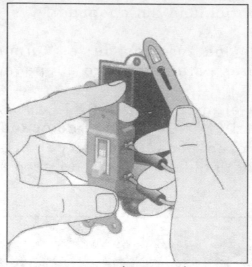

PRUEBA CON LÁMPARA NEÓN

| 4.7 | **PRUEBA DEL APAGADOR CON UN PROBADOR DE CONTINUIDAD.** |

Una forma fácil de probar un apagador es usando un probador de continuidad. Para esto, se quita la alimentación del circuito al que pertenece el apagador y se retira el apagador de su caja. Todos los alambres se deben desconectar, se fija la punta de caimán del probador a una de las terminales y se toca la otra terminal con la otra punta, si el apagador está trabajando, debe encender cuando está en posición DENTRO (ON) y no encender cuando está en posición FUERA (OFF).

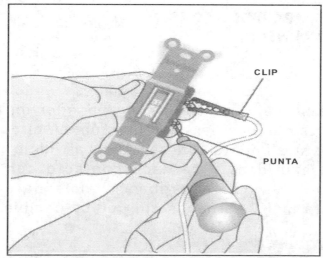

CLIP

PUNTA

PRUEBA CON UN PROBADOR DE CONTINUIDAD

4.8 **PRUEBA DE UN APAGADOR CONTACTO.** Para probar un dispositivo que tenga tanto apagador como contacto, se fija el caimán del probador de continuidad a una de las terminales superiores del apagador y se toca con la otra punta de prueba la terminal superior del otro lado, el probador **debe encender** cuando está en posición DENTRO (ON) y **no encender** cuando está en posición FUERA (OFF).

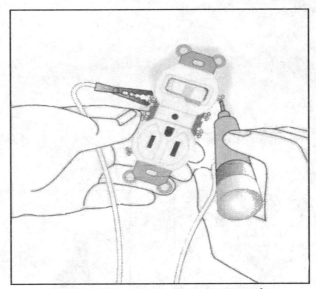

**PRUEBA DE UNA COMBINACIÓN
DE APAGADOR- CONTACTO**

LOCALIZACIÓN DE FALLAS EN APAGADOR-CONTACTO

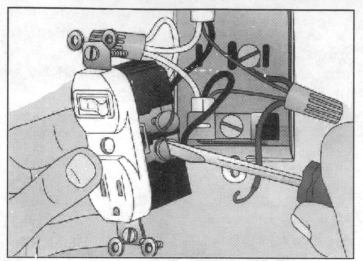

1. CORTAR LA ALIMENTACIÓN.

2. AFLOJAR LAS TERMINALES CON UN DESTORNILLADOR.

3. CHECAR Y LIMPIAR TERMINALES.

4. ENERGIZAR NUEVAMENTE DESPUÉS DE CONECTAR.

SWITCH Y SALIDA INDEPENDIENTE

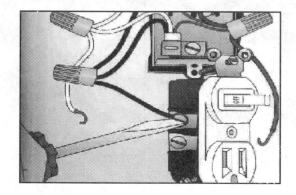

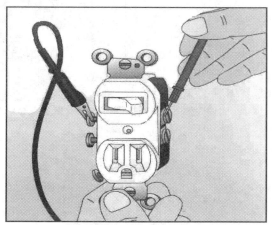

PRUEBA DE CONTINUIDAD

LOCALIZACIÓN DE FALLAS EN UN SWITCH DE SALIDA

PARA PROBAR CONTINUIDAD:

- SE QUITA LA ALIMENTACIÓN Y SE AJUSTA EL MULTÍMETRO RXI.

- SE COLOCAN LAS PUNTAS DE PRUEBA EN LAS TERMINALES SUPERIORES Y SE ACCIONA A LA PALANCA .

- EN ON INDICA CONTINUIDAD Y EN OFF NO CONTINUIDAD.

REPARACIONES ELÉCTRICAS

4.9 PRUEBA DE UN APAGADOR DE TRES VÍAS.

circuito en el que se encuentra, se fija la punta de caimán del probador a la terminal común, se hace contacto con la punta de prueba a una de las otras terminales de los tornillos y se acciona el apagador. Cuando está en buenas condiciones *el probador debe encender* al tocar una de las dos terminales, se acciona nuevamente el apagador y el probador debe encender cuando se toca la otra terminal.

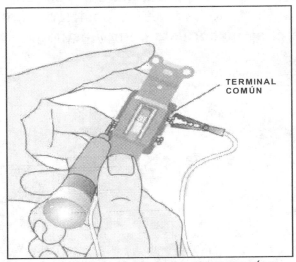

PRUEBA DE UN APAGADOR DE TRES VÍAS

4.10 PROCEDIMIENTO PARA REEMPLAZAR UN APAGADOR.

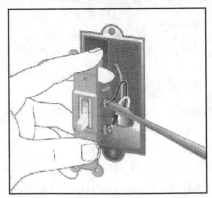

PARA REMPLAZAR UN APAGADOR SE DEBE RETIRAR EL APAGADOR VIEJO

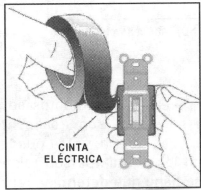

SE FIJAN LOS ALAMBRES AL NUEVO APAGADOR

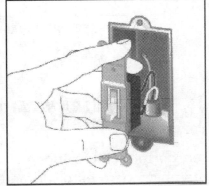

SE REINSTALA EL APAGADOR

REPARACIONES ELÉCTRICAS

4.11 **PRUEBA DE UNA LÁMPARA DE ESCRITORIO CON APAGADOR INTEGRADO.** Los pequeños apagadores que están montados sobre las lámparas, pueden operar con una pequeña cadena que se jala, bien con un apagador de presión o con un apagador de girar. Estos apagadores, a diferencia de los normales, no son de larga vida, de manera que si una lámpara no prende y no está fundida, entonces el problema puede estar en el apagador. Para probar, se debe desconectar (desenchufar) del contacto, retirar los conectores que llegan a las terminales del apagador y probar volviendo a conectar, haciendo contacto con las puntas de la lámpara de prueba. Al accionar el apagador en la posición dentro, si la lámpara no prende, significa que el apagador esta en mal estado.

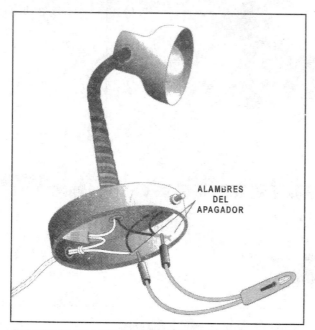

ALAMBRES DEL APAGADOR

PRUEBA DE UN APAGADOR MONTADO A UNA LUMINARIA

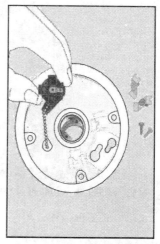

REEMPLAZANDO EL APAGADOR
MONTADO A LA LUMINARIA

4.12 **PRUEBA Y CAMBIO DE CONTACTOS.** Los contactos se pueden dañar en formas que no son realmente aparentes, las pequeñas fracturas se pueden convertir en fallas y derivar en cortocircuitos, por fortuna, los contactos son relativamente baratos y fáciles de cambiar, para esto, primero se tiene que determinar el estado del contacto por medio de pruebas sencillas con una lámpara de prueba.

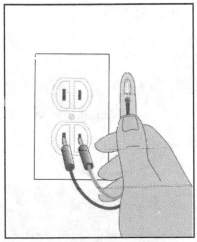

PARA PROBAR UN CONTACTO
LA LÁMPARA DE PRUEBA SE
DETECTA SU ESTADO NORMAL
DE FALLA.

ESTA PRUEBA SE HACE ESTANDO
EL CIRCUITO ENERGIZADO Y SE
DEBE TENER CUIDADO DE NO
TOCAR PARTES METÁLICAS.

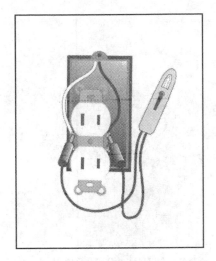

PRUEBA DE TIERRA A LA CAJA

SE CORTA LA ALIMENTACIÓN AL CONTACTO
PARA QUE QUEDE DESENERGIZADO,
SE QUITAN LOS TORNILLOS Y LA PLACA,
SE RETIRA EL CONTACTO Y SE PONE
UNA PUNTA DE LA LÁMPARA EN
CADA TORNILLO PARA VER SI HAY
ALIMENTACIÓN (PREVIA ENERGIZACIÓN).

PARA CAMBIAR UN CONTACTO
SE RETIRA EL CONTACTO VIEJO PRIMERO

SE ALAMBRA EL NUEVO
CONTACTO

SE ENCINTA CON CINTA DE AISLAR

PRUEBA PARA TIERRA Y POLARIZACIÓN

PRUEBA DE UN CONTACTO DE DOS RANURAS

ESTANDO ENERGIZADO EL CONTACTO, SE INSERTA UNA PUNTA A LA RANURA Y LA OTRA A TIERRA.

SE CONSIDERA QUE LA ALIMENTACIÓN ENERGIZA AL CONTACTO, SE INSERTA UNA PUNTA DE LA LÁMPARA DE PRUEBA EN LA RANURA DE CORRIENTE Y CON LA OTRA PUNTA SE TOCA LA PLACA O EL TORNILLO DE FIJACIÓN DE LA PLACA.

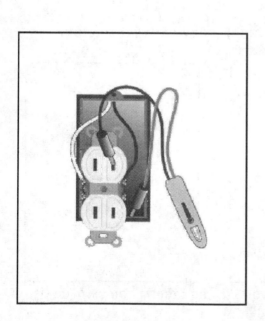

EN ESTA PRUEBA SE HACE LO MISMO QUE EN LA ANTERIOR, UNA PUNTA DE LA LÁMPARA DE PRUEBA A LA RANURA Y LA OTRA A LA CAJA QUE CONTIENE AL CONTACTO. EN ESTE CASO, ES NECESARIO RETIRAR EL CONTACTO DE LA CAJA.

En algunas ocasiones el mal funcionamiento de un contacto se puede deber sólo a un problema con las conexiones, para esto, se debe retirar primero el contacto de su caja, como se indica:

- Se retiran los tornillos de montaje.

- Se retira la cinta de sujeción y se jala el contacto de la caja.

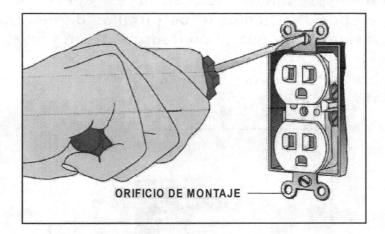

ORIFICIO DE MONTAJE

Para corregir las conexiones sucias o corroídas, se desconecta el alambre y se limpia con una lija fina. Si el alambre esá quemado, se corta la sección en mal estado con unas pinzas, se pela un tramo de alambre y se forma la curvatura para hacer la conexión con el tornillo y se coloca como si se trata ra de una nueva conexión.

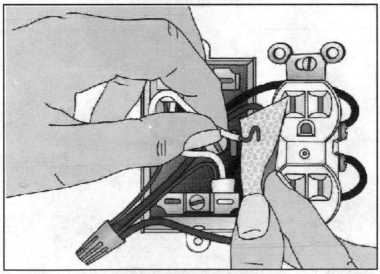

LIMPIANDO LAS CONEXIONES

Para cambiar el contacto:

- Conectar los alambres tal como se encontraron en la salida o contacto viejo.

- Cuidadosamente, colocar los alambres dentro de la caja y el contacto en posición, colocar los tornillos de montaje con su cinta metálica, asegurando que el contacto esté en posición vertical.

- Colocar nuevamente la cubierta y sus tornillos, energizando nuevamente.

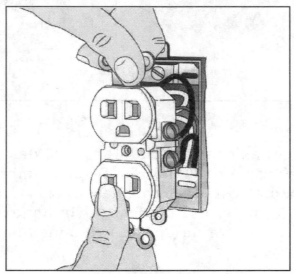

REEMPLAZO DEL CONTACTO

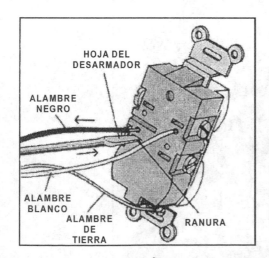
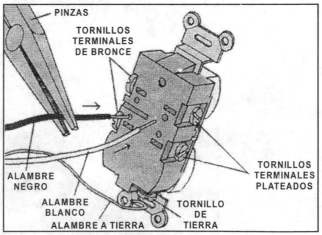

INSTALACIÓN DE CONTACTOS ALAMBRADOS POR LA PARTE POSTERIOR

En ciertas instalaciones con equipo sensible, es necesario proteger contra ondas de voltaje de tipo transitorio, para esto, se pueden usar contactos en extensiones con protectores de onda, que son típicamente una combinación de dos dispositivos; varistores de estado sólido y bobinas inductoras.

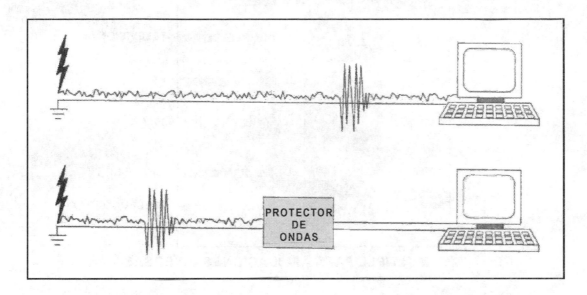

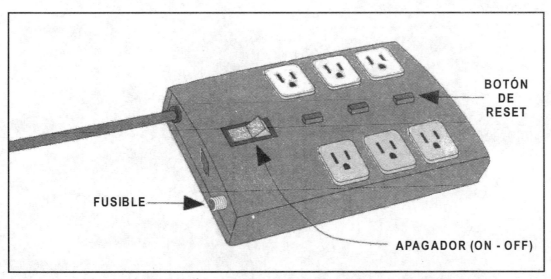

CONTROL MÚLTIPLE CON PROTECTOR DE ONDA

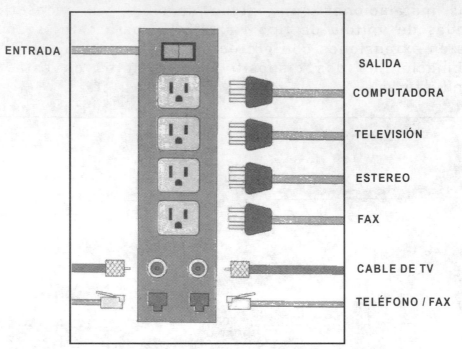

ENTRADA

SALIDA

COMPUTADORA

TELEVISIÓN

ESTEREO

FAX

CABLE DE TV

TELÉFONO / FAX

CONTACTO MÚLTIPLE PARA APLICACIONES DIVERSAS

CAMBIO DE CONTACTOS

1.DESENERGIZAR EN EL TABLERO PRINCIPAL.

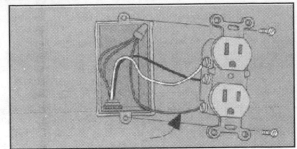

2. RETIRAR LOS TORNILLOS.

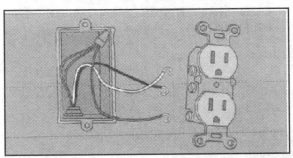

3.ANTES DE RETIRAR LOS TORNILLOS HACER UN DIAGRAMA DE IDENTIFICACIÓN.

4. MONTAR EL NUEVO CONTACTO Y PROBAR CON UN PROBADOR DE CONTACTOS.

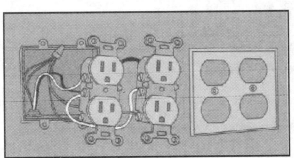

5. INSTALACIÓN DE LADO A LADO.ANTES DE RETIRAR LOS TORNILLOS.

6. LAS RANURAS SE PUEDEN CUBRIR POR SEGURIDAD CUANDO HAY NIÑOS.

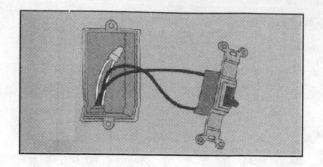

7. LOS ALAMBRES NEUTROS SON INDEPENDIENTES DEL APAGADOR.

8. LAS TERMINALES DEL APAGADOR NO ESTAN SIEMPRE COLOCADAS DE LA MISMA MANERA, PERO CON MAYOR FRECUENCIA ESTAN LATERALES.

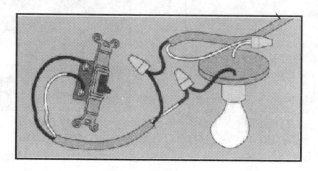

9. EL CONDUCTOR CLARO INDICA LA TRAYECTORIA DEL ALAMBRADO.

CAMBIO DE APAGADORES

4.13 **CAMBIO DE CLAVIJAS.** Cuando una clavija a perdido sus conexiones o tiene fracturas en su cuerpo, o bien tiene partes con manchas negras, se debe cambiar en forma inmediata, y también en ocasiones se debe cambiar el cordón, ya que esto representa ventajas. Existen básicamente dos tipos de cables o cordones para clavijas, los llamados cables o cordones redondos y los cables planos. Los cables redondos se usan en clavijas para aspiradoras, planchas y otros Elec.-trodomésticos que consumen alto amperaje, los electrodomésticos que consumen poca corriente usan normalmente cables planos. El cambio de clavija se debe hacer en principio reemplazando por el mismo tipo de clavija que se va a retirar, para esto, en forma general se pueden identificar los siguientes tipos de clavijas.

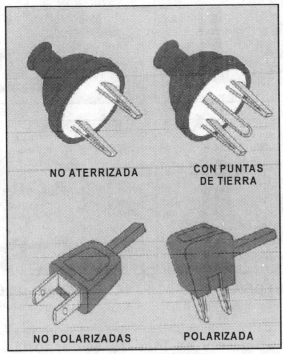

CLAVIJAS PARA CORDONES REDONDOS.

NO ATERRIZADA   CON PUNTAS DE TIERRA

CLAVIJAS PARA CORDONES PLANOS

NO POLARIZADAS   POLARIZADA

TIPOS DE CLAVIJAS

Para el cambio de clavijas con cable o cordón redondo se puede seguir el procedimiento que se muestra en la siguiente figura:

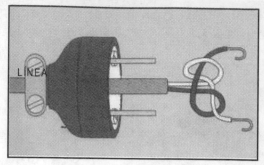

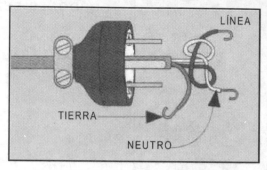
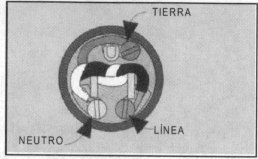

PROCEDIMIENTO DE ALAMBRADO PARA EL CAMBIO DE CLAVIJAS

❶   Se retira la cubierta y se inserta el cordón.

❷   Se tuercen los cables de cada cable y se aprietan los tornillos.

❸   Con clavijas que usan tierra se insertan los tres cables juntos.

❹   Se tuercen y atornillan los conductores del cable.

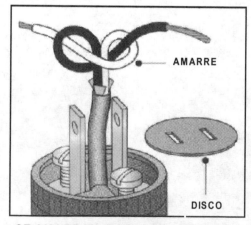
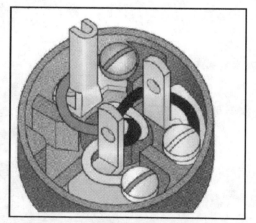

SE AMARRAN DOS CONDUCTORES DEL CABLE DENTRO DE LA CLAVIJA

SE DEBE ASEGURAR QUE LOS CABLES QUEDEN TORCIDOS COMO SE MUESTRA

El cambio de clavijas con cable plano se hace por un procedimiento similar al cambio de clavijas con cable redondo, en las siguientes figuras se ilustra por si mismo la forma en que se hace.

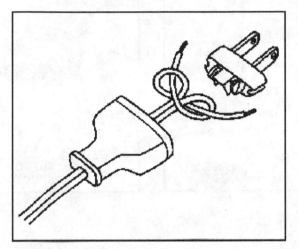

CONEXIÓN DE LOS ALAMBRES A UNA NUEVA CLAVIJA

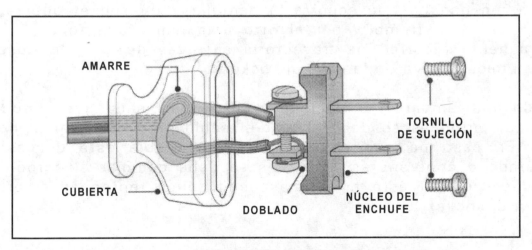

REEMPLAZO DE CLAVIJA

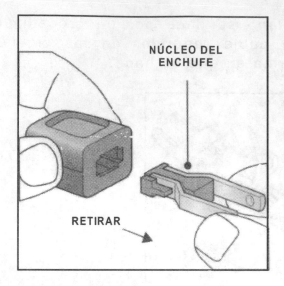

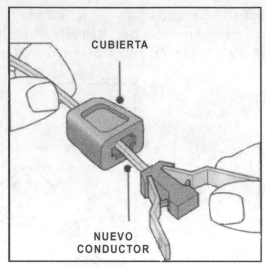

| 4.14 | **CAMBIO DE SOCKETS EN LAS LÁMPARAS.** |

La mayoría de las llamadas lámparas de mesa consisten de un cuerpo, una base donde entra un cordón, un gancho que soporta la pantalla y un socket que recibe el cordón en un extremo y por el otro a la lámpara o foco. El cordón generalmente recorre una trayectoria a través de un tubo roscado o varilla hueca que va de la base al socket.

Cuando una lámpara no funciona y se ha verificado que el foco está correcto, entonces se debe checar el cable para observar si no tiene daño. En caso de que el aislamiento del cable esté desgastado y fracturado o con ranuras, entonces se debe cambiar el cordón en su totalidad, pero si está en buenas condiciones, entonces el problema está en el socket.

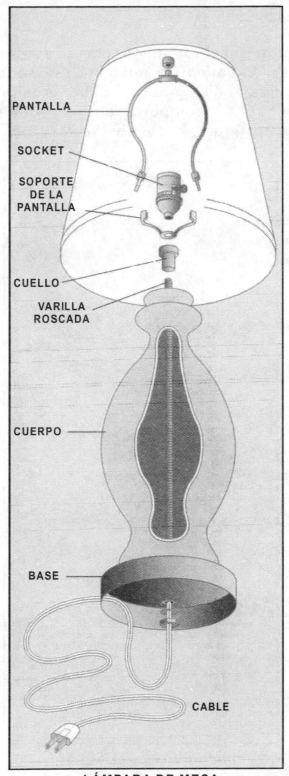

PANTALLA

SOCKET

**SOPORTE
DE LA
PANTALLA**

CUELLO

**VARILLA
ROSCADA**

CUERPO

BASE

CABLE

LÁMPARA DE MESA

DESARMADO DEL SOCKET.

Desenchufar el cordón y retirar el gancho o soporte de la pantalla, si aún está en su lugar. Examinar la cubierta del socket y ver existe una parte en el mismo que indica que se debe presionar, se hace esto y entonces el socket se descompone en sus componentes, como se muestra en la siguiente figura, entonces se retira el cordón del socket.

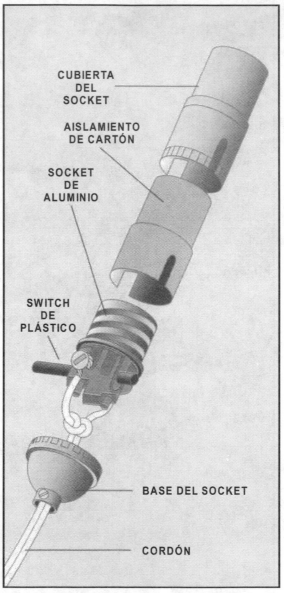

CUBIERTA DEL SOCKET

AISLAMIENTO DE CARTÓN

SOCKET DE ALUMINIO

SWITCH DE PLÁSTICO

BASE DEL SOCKET

CORDÓN

DESARMADO DEL SOCKET

CONEXIÓN DEL NUEVO SOCKET

Una vez que se ha retirado el socket dañado, se desliza la base del nuevo socket sobre el cordón y se fija con un tornillo, se pela aproximadamente 1 cm de aislamiento del alambre, se tuerce y se fija con el tornillo, previamente se forma un amarre, como se muestra en la figura, para evitar el deslizamiento del cordón.

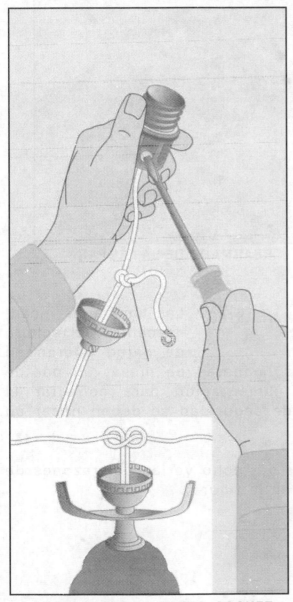

SE REARMA EL AISLAMIENTO DE CORDÓN Y LA CUBIERTA EXTERIOR Y SE FIJA EL NUEVO SOCKET A LA LÁMPARA.

CONECTANDO EL NUEVO SOCKET

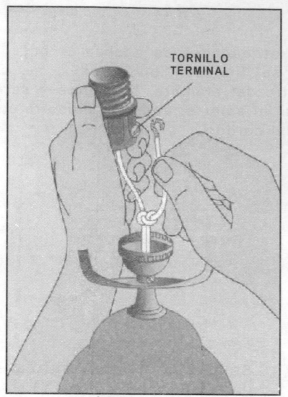

TORNILLO
TERMINAL

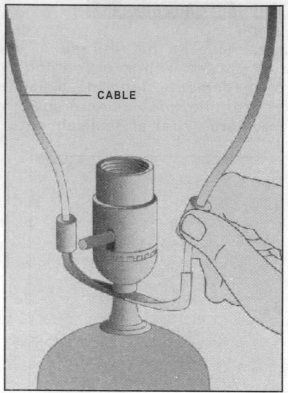

CABLE

FIJACIÓN DE LOS ALAMBRES   **REARMADO DE LA LÁMPARA**

4.15 **LOCALIZACIÓN DE FALLAS EN LUMINARIAS CON LÁMPARAS INCANDESCENTES.** Las luminarias incandescentes de techo o de pared operan en algunos casos en forma parecida a las lámparas de mesa, un par de conductores sirven como cordón de alimentación para conectar el socket, estas conexiones por razones de seguridad se deben hacer en una caja.

Los sistemas de soporte para luminarias de techo varían por razones de diseño y decorativas, como se muestra en la figura:

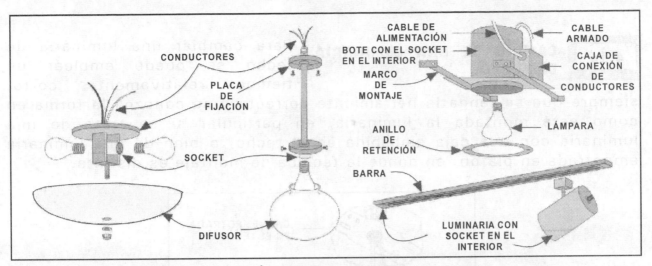

CONDUCTORES

PLACA
DE
FIJACIÓN

SOCKET

DIFUSOR

CABLE DE
ALIMENTACIÓN

BOTE CON EL SOCKET
EN EL INTERIOR

MARCO
DE
MONTAJE

ANILLO
DE
RETENCIÓN

BARRA

CABLE
ARMADO

CAJA DE
CONEXIÓN
DE
CONDUCTORES

LÁMPARA

LUMINARIA CON
SOCKET EN EL
INTERIOR

ANATOMÍA DE ALGUNOS TIPOS DE LUMINARIA

Las lámparas incandescentes en el espectro luminoso son muy cercanas a la luz natural y, por lo tanto, es fácil para los ojos, pero actualmente son las más ineficientes de los tipos actuales de lámparas, de hecho, los fabricantes de lámparas fluorescentes han estado incorporando este tipo para sustituir algunos tipos de las incandescentes, todo lo que se requiere es un adaptador que tiene autocontenido una balastra y una base del tipo usado para las lámparas incandescentes. En la siguiente figura, se muestran algunas de estas lámparas fluorescentes adaptadas a incandescentes.

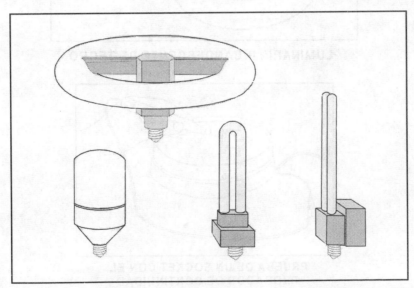

**ALGUNA DE LAS LÁMPARAS FLUORESCENTE
ADAPTADAS CON BASE DE INCANDESCENTES**

| 4.16 | **CAMBIO DE UNA LUMINARIA DE TECHO.** |

Para cambiar una luminaria de techo se puede emplear un tiempo relativamente corto, siempre que se tenga la herramienta correcta y se conozca la forma en como está montada la luminaria, en particular si se trata de una luminaria con una caja embebida en el techo, o bien de una luminaria empotrada en plafón, en donde la técnica de montaje es distinta.

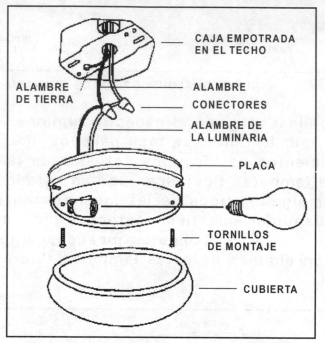

CAJA EMPOTRADA EN EL TECHO

ALAMBRE DE TIERRA

ALAMBRE

CONECTORES

ALAMBRE DE LA LUMINARIA

PLACA

TORNILLOS DE MONTAJE

CUBIERTA

LUMINARIA INCANDESCENTE DE TECHO

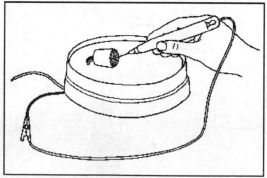

PRUEBA DE UN SOCKET CON EL PROBADOR DE CONTINUIDAD

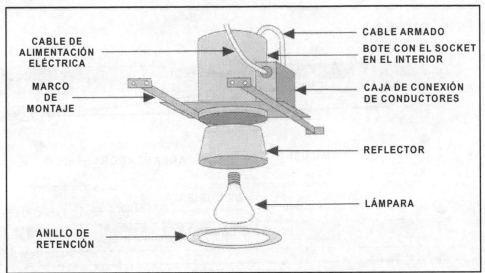

PARTES DE UNA LUMINARIA QUE SON NECESARIAS PARA SU INSTALACIÓN Y REVISIÓN

4.17 LOCALIZACIÓN DE FALLAS EN LUMINARIAS FLUORESCENTES. Actualmente el alumbrado fluorescente ha venido a ser cada vez más popular, particularmente porque existen los sistemas de arranque rápido.

Este tipo de lámparas, debido a que no tienen un proceso de *"quemado"* como las incandescentes, tiene una mayor eficiencia y también debido a que operan a una menor temperatura tienen un mayor tiempo de vida, de hecho, el **tiempo de vida de las lámparas fluorescentes** está determinado por el número de veces que arrancan y no por el tiempo que operan; sin embargo, es menos flexible en ciertos casos que el alumbrado incandescente, debido a que no se pueden intercambiar tubos de distinta potencia en la misma luminaria.

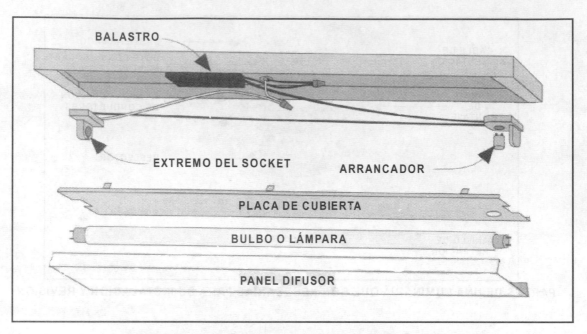

ELEMENTOS DE UNA LUMINARIA FLUORESCENTE

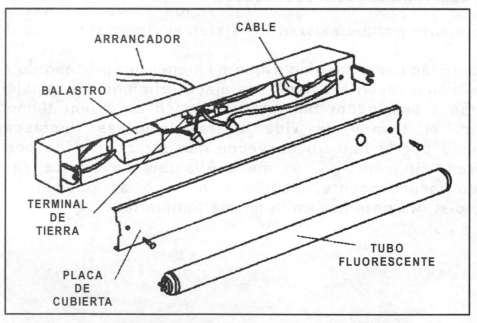

LUMINARIA CON TUBO FLUORESCENTE

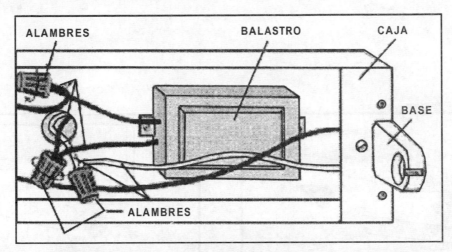

LOCALIZACIÓN DEL BALASTRO EN UNA LUMINARIA

Las fallas o problemas que se pueden presentar en las luminarias de tipo fluorescente se pueden deber a manifestaciones como las siguientes:

PROBLEMA	CAUSA	SOLUCIÓN
No prende la lámpara	Es raro que un tubo fluorescente falle abruptamente.	Verificar las conexiones, o bien, cambiar arrancador, tubo y balastro; en este orden.
Ilumina parcialmente	Prende los extremos pero el centro no.	Cambiar el arrancador.
	Extremos de color negro.	Cambiar el tubo que está fallando.
	Ennegrecimiento uniforme.	El tubo está sucio o fallando, limpiar o cambiar.
Olor a quemado.	Casi siempre es indicativo de problemas en el balastro.	Apretar las conexiones del balastro. En caso necesario cambiar balastro.

Los procedimientos para el cambio de tubo o lámpara, cambio de arrancador, cambio de balastro e instalación de luminarias, se muestra a continuación:

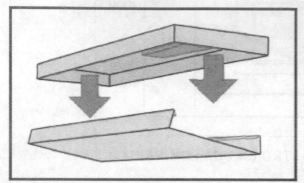

1 DESCONECTAR ALIMENTACIÓN, RETIRAR EL DIFUSOR JALANDO UN EXTREMO Y SACARLO.

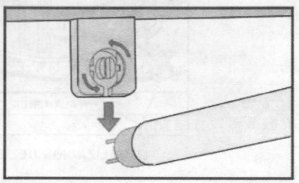

2 RETIRAR LA LÁMPARA GIRANDO UN CUARTO DE VUELTA EL SOCKET.

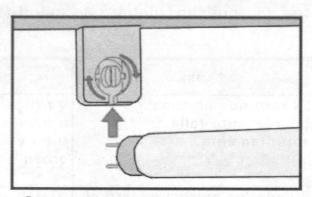

3 ALINEAR LAS PUNTAS DE LA LÁMPARA NUEVA Y GIRAR 90°. REEMPLAZAR EL DIFUSOR.

PASOS PARA CAMBIAR UN TUBO O LÁMPARA FLUORESCENTE

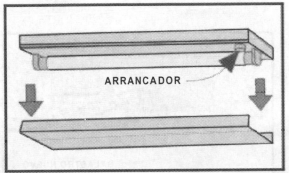

1 DESCONECTAR LA ALIMENTACIÓN, RETIRAR EL PANEL DIFUSOR, LA LÁMPARA Y LOCALIZAR EL ARRANCADOR.

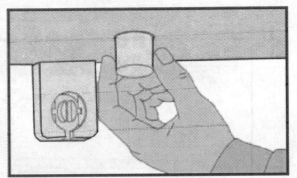

2 PARA RETIRAR EL ARRANCADOR EMPUJAR, GIRAR EN SENTIDO CONTRARIO A LAS MANECILLAS DEL RELOJ Y JALAR.

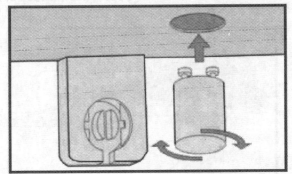

3 EMPUJAR EL NUEVO ARRANCADOR EN EL SOCKET Y GIRAR EN EL SENTIDO DE LAS MANECILLAS DEL RELOJ.

PASOS PARA CAMBIAR EL ARRANCADOR

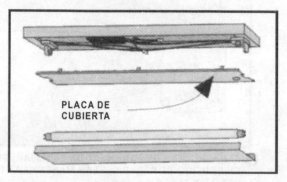

1 DESCONECTAR LA ALIMENTACIÓN, RETIRAR EL PANEL DIFUSOR, LA LÁMPARA Y LA PLACA DE CUBIERTA.

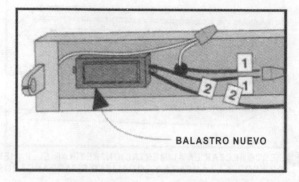

2 DESCONECTAR LOS CONDUCTORES, MARCANDO ESTOS PARA IDENTIFICARLOS Y RETIRAR EL BALASTRO.

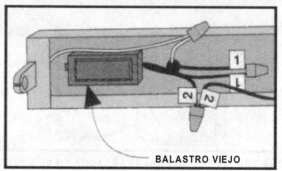

3 INSTALAR EL NUEVO BALASTRO, CONECTAR LOS ALAMBRES Y REEMPLAZAR CUBIERTA, LÁMPARA Y DIFUSOR

PASOS PARA CAMBIAR DE UN BALASTRO

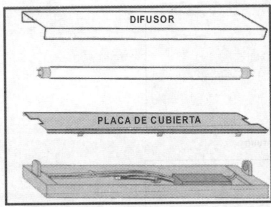

1 RETIRAR EL DIFUSOR, TUBO Y CUBIERTA.

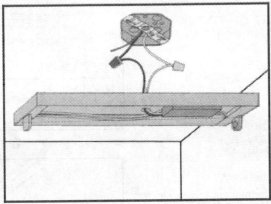

2 PARA UNA INSTALACIÓN CON ALIMENTACIÓN CENTRAL, RETIRAR LA TAPA DE LA PERFORACIÓN CENTRAL Y MONTAR LA UNIDAD EN LA BARRA DE LA CAJA.

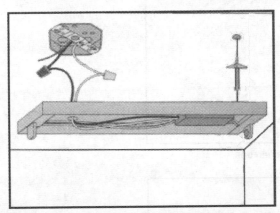

3 SI LA INSTALACIÓN SE ALIMENTA POR LOS EXTREMOS SE SOPORTA CON UN TORNILLO EN EL TECHO.

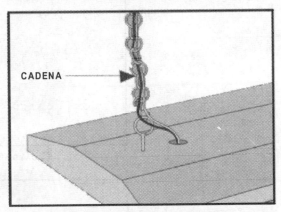

PARA LUMINARIAS SUSPENDIDAS SE USAN CADENAS LIGERAS COLGADAS DEL TECHO.

INSTALACIÓN DE LUMINARIAS

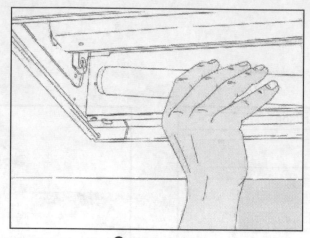

1 RETIRAR EL TUBO

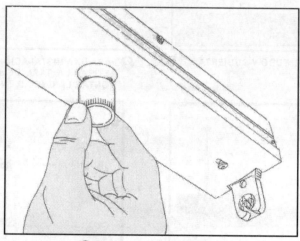

2 CAMBIAR EL ARRANCADOR

3 INSTALAR EL TUBO NUEVO

CAMBIO DE TUBOS FLUORESCENTES Y ARRANCADORES

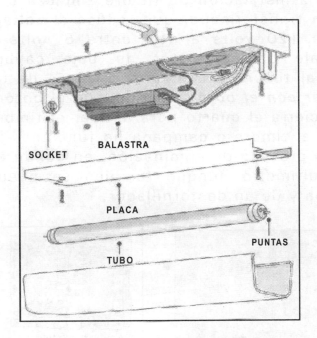

SOCKET

BALASTRA

PLACA

PUNTAS

TUBO

SOCKET

① DESENERGIZAR LA LUMINARIA

② DETECTAR LOS ALAMBRES DEL SOCKET

③ REEMPLAZAR EL SOCKET

REEMPLAZO DEL SOCKET

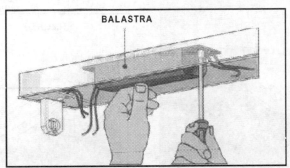

BALASTRA

DESCONECTAR EL CIRCUITO EN EL TABLERO

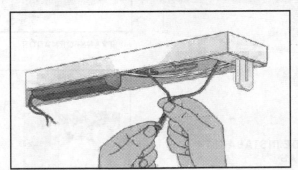

PARA CAMBIAR LA BALASTRA SE DEBE SUSTITUIR POR OTRA DE IGUAL CAPACIDAD.

4.18	INSTALACIÓN DE TIMBRES Y CAMPANAS.

Una instalación de timbre empieza con un transformador que reduce el voltaje de 120 volts a otro entre 6 volts y 30 volts. Del transformador sale un conductor de bajo calibre (conductor delgado) que conecta al timbre o campana a través de un circuito *que se puede abrir o cerrar con el botón.* Oprimiendo el botón, que es un switch con resorte, se cierra el cuarto para activar el timbre o campana a bajo voltaje. Cuando el timbre o campana no funciona, se debe encontrar la causa usando un proceso de eliminación, en donde es recomendable disponer de un multímetro aunque también se puede hacer uso de una lámpara de prueba y de un destornillador.

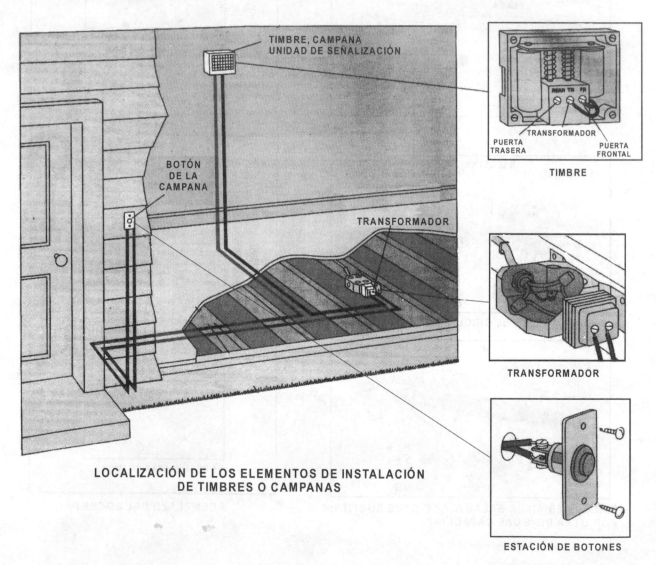

TIMBRE, CAMPANA UNIDAD DE SEÑALIZACIÓN

TRANSFORMADOR

PUERTA TRASERA

PUERTA FRONTAL

TIMBRE

BOTÓN DE LA CAMPANA

TRANSFORMADOR

TRANSFORMADOR

ESTACIÓN DE BOTONES

LOCALIZACIÓN DE LOS ELEMENTOS DE INSTALACIÓN DE TIMBRES O CAMPANAS

Para determinar fallas se aplica la siguiente secuencia:

❶ Verificar los alambres que llegan al botón, para esto, se retira el botón, se pone en posición de conectado para asegurar que los alambres no se deslicen de su posición, se deben apretar y encintar con cinta aislante.

❷ Para probar el botón, se puentean sus terminales con un pedazo de alambre, si el timbre o la campana suena, entonces el botón tiene falla y se debe cambiar. También se puede usar un probador de continuidad, para lo cual se desconectan los alambres y se tocan ambas puntas con el probador, el botón está operando bien si la campana o timbre no suena.

❸ Se prueban los alambres del transformador, verificando si no hay corrosión, terminales flojas o fallas de aislamiento.

❹ En caso de ser necesario, se prueba al transformador, para lo cual se desconectan ambos alambres y se toca cada terminal con las puntas de prueba de un multímetro.

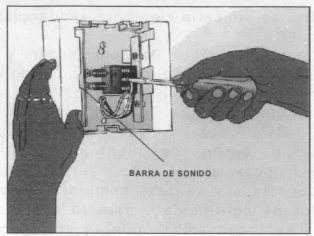

BARRA DE SONIDO

FIJANDO TIMBRE Y CAMPANAS

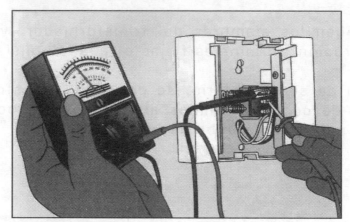

PROBANDO LA UNIDAD

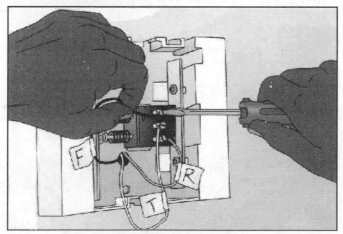

CAMBIANDO LA UNIDAD

REPARACIONES ELÉCTRICAS

INSTALACIÓN DEL VIDEO Y SISTEMAS DE INTERCOMUNICACIÓN.

Por una cantidad sorprendentemente pequeña de trabajo, se puede instalar un sistema de video para intercomunicación que permita ver y escuchar a una persona en la puerta, desde el interior de la casa. Uno de los sistemas más simples de instalar se alambra con cuatro conductores del calibre No. 18 AWG de la cámara que se encuentra en el exterior al monitor que está en el interior. El monitor se enchufa en un contacto eléctrico estándar, el trabajo más rudo consiste en jalar el cable de cuatro conductores de la puesta en la parte frontal a la localización del monitor.

En la siguiente figura, se muestra el procedimiento a seguir para la instalación de estos sistemas de intercomunicación.

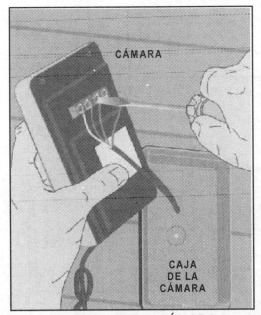

SE ALAMBRA LA CÁMARA

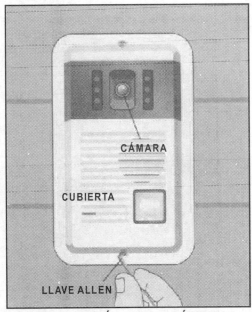

INSTALACIÓN DE LA CÁMARA

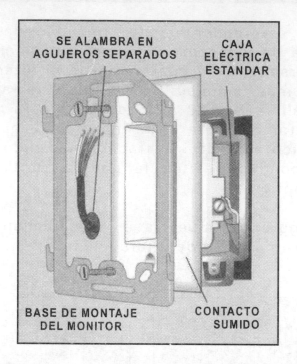

SE ALAMBRA EN
AGUJEROS SEPARADOS

CAJA
ELÉCTRICA
ESTANDAR

BASE DE MONTAJE
DEL MONITOR

CONTACTO
SUMIDO

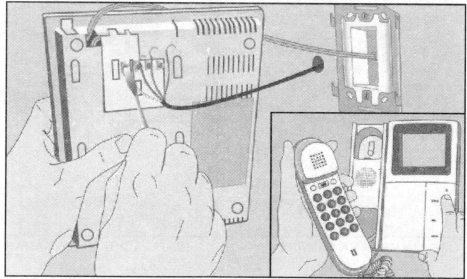

ALAMBRADO DEL MONITOR

AJUSTANDO VOLUMEN

5

PRINCIPIOS BÁSICOS PARA LA REPARACIÓN DE ELECTRODOMÉSTICOS

5.1 **INTRODUCCIÓN**

La mayoría de los electrodomésticos usados en las casas son dispositivos muy simples que normalmente dan servicio por varios años, libres de problemas.

Básicamente hay dos tipos: **Electrodomésticos que proporcionan calor**, tales como tostadores, planchas y cafeteras eléctricas; los **electrodomésticos que tienen un motor eléctrico para proporcionar movimiento**, tales como aspiradoras, ventiladores, máquinas de lavar ropa, máquinas para lavar vajillas, etc.

Algunos electrodomésticos combinan ambas funciones, como es el caso de las secadoras de ropa que tienen un motor para voltear la ropa y un calefactor para secarla.

Cuando un electrodoméstico falla en su operación, se puede deber a una falla mecánica o eléctrica; determinar la causa de la avería, es la mayor parte del servicio y sólo se requiere del conocimiento de ciertos fundamentos de electricidad.

5.2 **LOS CONCEPTOS BÁSICOS DE REPARACIÓN DE ELECTRODOMÉSTICOS.**

Los electrodomésticos normalmente suministran muchos años de servicio libres de problemas, en primer lugar, son mecanismos relativamente simples que sufren un pequeño desgaste con el uso propio; en segundo lugar, su uso no es constante en comparación, por ejemplo, con un automóvil que se usa dos horas durante el día, teniendo una operación de más de 700 horas en un año; por otro lado, un tostador de pan se puede usar sólo 5 ó 6 minutos al día, lo que representa alrededor de 60 horas al año, por lo que no sería sorprendente, que con un mínimo mantenimiento pueda dar servicio de 10 a 15 años.

La mayoría de las fallas en los aparatos electrodomésticos son causadas por mal uso de los mismos o aplicaciones fuera de sus condiciones, por ejemplo: cuando una cafetera queda encendida estando vacía.

De una u otra forma, un electrodoméstico puede requerir de servicio, entonces, ya sea que se repare por uno mismo o que se mande a componer, es necesario tener ciertos conocimientos básicos de reparación en cada tipo de electrodoméstico.

Usualmente cuando algo causa que un fusible o un interruptor de un circuito derivado corte la corriente, el problema está de alguna manera en una de las lámparas o luminarias o en algún aparato electrodoméstico conectado al circuito. Si se abre un electrodoméstico aparece invariablemente como muy confuso, ya que tiene un sistema de alambres que entran y salen de una docena de componente; obviamente que entre más componentes, mayor oportunidad de que se presenten fallas, pero muchas de ellas son pequeñas por naturaleza y están especialmente diseñadas para el electrodoméstico en donde se encuentran, y aquí es donde se halla la esencia de la reparación de electrodomésticos: *En el cambio de partes.*

La mayoría de las reparaciones que se hacen en electrodomésticos grandes o pequeños, consisten en la localización de fallas y luego en el cambio de las partes donde están, ya que es relativamente fácil cambiar las partes, en lugar de intentar que se arreglen.

LOS ELECTRODOMÉSTICOS MAYORES.

Los electrodomésticos mayores en una casa, incluyen, entre otros: El refrigerador, la lavadora de ropa, la lavadora de platos, una estufa eléctrica y los hornos eléctricos, entre otros. Cada fabricante ofrece al consumidor una variedad de modelos, diseños y construcciones, pero sin importar la gran variedad de electrodomésticos, todos tienen en común algunos elementos. Tienen una cubierta exterior, si son aparatos que producen calor o frío, cuentan al menos con un termostato, la mayoría tienen un controlador de tiempo y un motor eléctrico, si usan agua de alguna manera, deben tener una bomba y siempre hay switches, cordones y alambrado.

Todas estas componente básicas, son construidas con precisión y cada una está hecha en ocasiones de docenas de partes, las cuales no están exentas de fallas en cualquier momento. En todo caso, normalmente resulta más barato cambiar una parte o componente, que arreglarla.

LA INSTALACIÓN DE LOS ELECTRODOMÉSTICOS MAYORES ES ESTRICTAMENTE UN ASUNTO DE LEER EL MANUAL DE SERVICIO DE LOS FABRICANTES, en donde se tienen dibujos y fotografías que muestran paso a paso la forma de hacer las instalaciones.

5.3 MANTENIMIENTO DE ELECTRODOMÉSTICOS.

Cada electrodoméstico se debe mantener en condiciones óptimas de operación, si se quiere que cumplan con su función en forma eficiente, se deben mantener limpios. En algunos casos, es necesario lubricarlos periódicamente, procurando no desmantelar las máquinas.

En cualquier momento que un aparato electrodoméstico falle en su operación, se deben tomar cuatro pasos inmediatos:

1. **Verificar el enchufe.** Debe de estar firmemente asentado en el contacto.

2. **Probar el apagador (ON-OFF).**

3. **Verificar el fusible o interruptor.** Para estar seguro que no esté fundido o disparado. En caso de que el interruptor esté en la posición FUERA (OFF), es posible que se tenga un cortocircuito en el electrodoméstico, entonces, se debe restablecer la alimentación en el circuito, tratar de encender el electrodoméstico y si el interruptor se dispara nuevamente, se sospecha de un corto circuito.

4. **Si el electrodoméstico usa agua**. Se debe asegurar que el agua pueda entrar a la unidad, lo que quiere decir que es necesario checar las llaves o grifos.

DESARMADO.

Si se ha verificado todo dos veces, en cuanto a las posibilidades exteriores, y el electrodoméstico continúa sin trabajar, entonces se puede proceder a desarmar la unidad de la siguiente manera:

1. Comenzar por lo obvio, es decir, examinar todos los discos, perillas y botones. Retirar cualquier suciedad, grasa o deterioro de ellos.

   Trabaje cada componente para asegurar que esté funcionando mecánicamente.

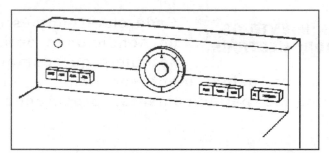

PANEL DE CONTROL TÍPICO MOSTRANDO PERILLA Y BOTONES SELECTORES

2. Verificar el cordón cuidadosamente, para esto, se observa la base del enchufe para determinar si hay fracturas o daños en el alambre. Se debe examinar el alambre en su totalidad, si se encuentra que está roto o fracturado el aislamiento, se debe cambiar el cordón.

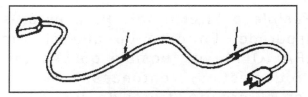

BUSCAR FRACTURAS Y RASPADURAS EN EL CABLE

3. Observar cada superficie en la cubierta de la unidad, para determinar si hay fracturas, agujeros o cualquier defecto.

RETIRANDO LA CUBIERTA EXTERIOR.

Ir al interior de un aparato electrodoméstico puede ser una experiencia frustrante, se debe estar seguro de que cada electrodoméstico, con la excepción de algunos que estén herméticamente cerrados y que generalmente tienen la etiqueta de **sellados**. El manual del usuario de un aparato electrodoméstico puede ayudar a localizar los tornillos, grapas o lengüeta que mantienen la cubierta alrededor del equipo eléctrico.

TORNILLOS.

Algunas veces los tornillos que mantienen las partes de una unidad juntas, están por fuera y son fáciles de localizar, en algunas otras ocasiones tienen que ser retirados y entonces la cubierta de un electrodoméstico se puede retirar fácilmente. Pero también, con cierta frecuencia todos o algunos de los tornillos han sido colocados en forma oculta para dar una mejor apariencia y cubiertos con tapas de plástico que están a nivel de superficie o con capas de recubrimiento decorativas.

SUJETADORES (CLIPS).

Los sujetadores o clips se usan frecuentemente para sujetar las partes laterales o superiores de los electrodomésticos mayores, estos sujetadores se usan comúnmente en las esquinas de los paneles y se pueden retirar con relativa facilidad con un desarmador plano.

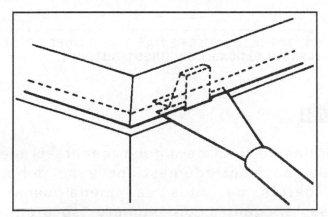

FRECUENTEMENTE LOS LADOS DE UNIÓN DE LOS ELECTRODOMÉSTICOS MAYORES USAN GRAPAS

Con frecuencia los lados o esquinas de los electrodomésticos mayores, se mantienen juntos por medio de sujetadores (clips) cercanos a las esquinas.

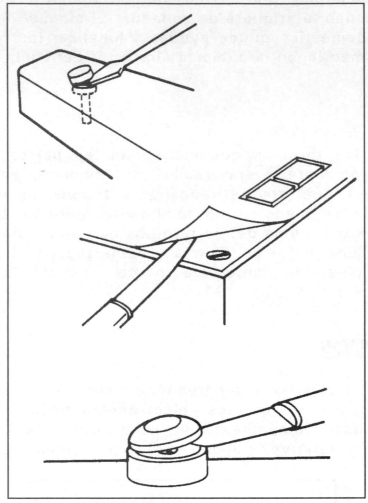

LOS TORNILLOS PUEDE ESTAR OCULTOS DEBAJO DE TAPAS PLÁSTICAS, CORDONES O BOTONES.

TORNILLOS Y PERILLAS.

Los tornillos y perillas se fijan de alguna manera al eje de los motores o de movimientos de los electrodomésticos y se deben retirar antes de que la cubierta detrás de ellos se pueda sacar de la máquina, frecuentemente se encuentra un número sorprendente de tornillos ocultos en los ejes, estos tornillos deben ser retirados con un tipo de llaves conocidas como llaves allen, que son especiales para tornillos con cabeza octagonal de **tipo embutido** y conocidos también como tornillos **allen**.

Para retirar estos tornillos, se requiere de un juego de llaves Allen, tomando la medida correcta se introduce en la cabeza del tornillo y se hace girar en sentido contrario a las manecillas del reloj para aflojar el tornillo.

Los tornillos y las perillas pueden tener también un sujetador o clip que se puede renovar empujando con la punta de un desarmador tipo plano, al mismo tiempo que se jala el tornillo, cuando están atornillados se hacen girar en la dirección opuesta a la forma en como se atornillan para su uso.

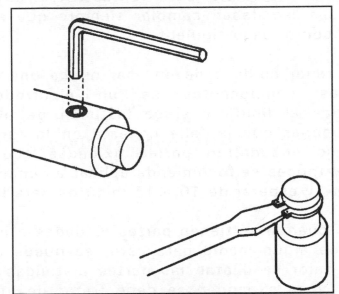

EL DESARMADO PUEDE REQUERIR A VECES EL USO DE LLAVES ALLEN Y DESARMADORES

CUANDO SE HA RETIRADO LA CUBIERTA.

Una vez que se ha retirado la cubierta de un aparato electrodoméstico, se sigue el procedimiento que se indica:

1. Observar, **no tocar**, *sólo observar* y si es posible disponer de una cámara **fotográfica polaroid**, tomar algunas fotografías de acercamientos del aparato completo; en caso de que esto no sea posible, elaborar notas, hacer dibujos de cómo están

ensambladas las distintas partes y cómo están contactados los alambres. Generalmente se debe observar que las puntas de los conductores están conectadas a terminales que tienen una identificación por medio de letras o números.

2. Cuando se está seguro de haber registrado suficiente información como para volver a armar el electrodoméstico nuevamente, se debe retirar cada componente, haciendo esto, una a la vez, observando cada parte para determinar si tiene desgaste o está rota. En caso de que se disponga de un multímetro para probar, se debe hacer; si se observan contactos sucios, proceder a limpiarlos con silicón o con un spray eléctrico especial para contactos. Si se observan partes defectuosas, se deben cambiar siempre que sea posible y se continúa con el paso siguiente.

Se debe tener cuidado de no usar nunca una fuerza excesiva, todas las componentes de un electrodoméstico están maquinadas al límite y si se lastiman de alguna forma, se puede suponer que la falla no está en la forma de la parte. Cuando se encuentran partes oxidadas que no se puedan aflojar, entonces se recomienda aplicar algunas gotas de aceite penetrante y esperar de 10 a 15 minutos para intentar aflojar.

También, cuando se tienen partes oxidadas o congeladas, si se dispone de algún medio para esto, se puede aplicar calor, ya que con calor se dilatan las partes metálicas y cuando están calientes y se expanden se debe tratar de aflojar, ya que al enfriarse se vuelven a contraer. Esta acción ayuda también a que se aflojen tuercas y tornillos oxidados, o bien excesivamente apretados. Si se usa para ciertas partes y tornillos un cautín (el tipo de cautín depende del tamaño del elemento a calentar), no se debe aplicar demasiado calor como para fundir las partes. Cuando se aplica calor sobre partes que tienen soldadura, sólo se debe aplicar calor exactamente sobre la parte con soldadura.

En la siguiente figura, y sólo con fines de identificación, se muestran las componentes de un electrodoméstico en detalle.

PRINCIPIOS BÁSICOS PARA LA REPARACIÓN DE ELECTRODOMÉSTICOS.

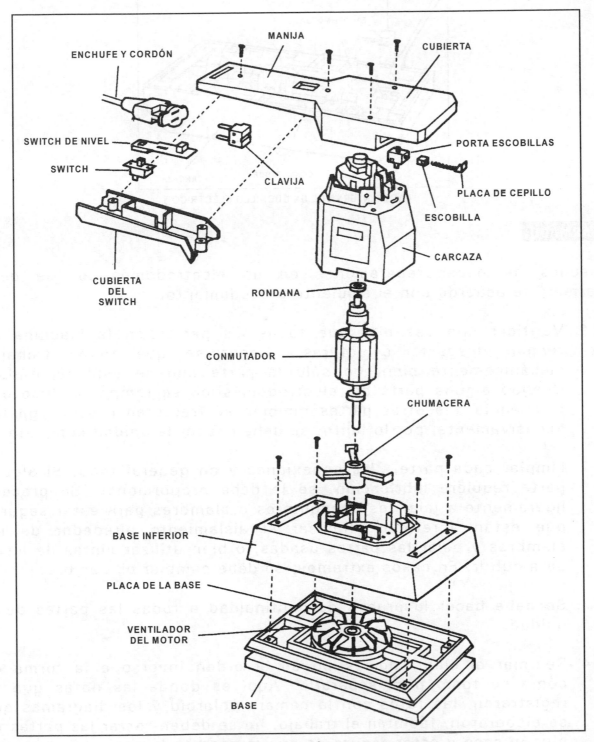

ENCHUFE Y CORDÓN

MANIJA

CUBIERTA

SWITCH DE NIVEL

SWITCH

CLAVIJA

PORTA ESCOBILLAS

PLACA DE CEPILLO

ESCOBILLA

CARCAZA

CUBIERTA
DEL
SWITCH

RONDANA

CONMUTADOR

CHUMACERA

BASE INFERIOR

PLACA DE LA BASE

VENTILADOR
DEL MOTOR

BASE

VISTA DE UN ELECTRODOMÉSTICO DESARMADO

PRINCIPIOS BÁSICOS PARA LA REPARACIÓN DE ELECTRODOMÉSTICOS.

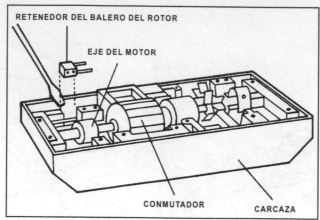

RETENEDOR DEL BALERO DEL ROTOR

EJE DEL MOTOR

CONMUTADOR   CARCAZA

PARTE INTERNA DE UN CUCHILLO ELÉCTRICO

REARMADO.

Después de hacer reparaciones en un electrodoméstico, se debe rearmar, de acuerdo con el siguiente procedimiento:

1. Verificar una vez más que todas las partes en la máquina no tengan desgaste o roturas, asegurarse que todos trabajen mecánicamente bien, no sólo la parte que se está reparando. Cuando alguna parte del electrodoméstico se rompe produce con frecuencia que otras partes también se fracturen o se desgasten excesivamente, por lo tanto, se debe checar la unidad completa.

2. Limpiar cada parte, las conexiones y en general todo. Si alguna parte requiere lubricación, se le debe proporcionar. Se procede ligeramente a jalar los conductores o alambres para estar seguros que están apretados. Revisar el aislamiento alrededor de los alambres y pelar las partes usadas, o bien utilizar cintas de aislar para cubrir: En casos extremos, se debe cambiar el alambre.

3. Se debe hacer la prueba de continuidad a todas las partes de la unidad.

4. Rearmar el electrodoméstico en el orden inverso a la forma en cómo se tomo para separarlo. Aquí es donde las notas que se registraron, las fotos con la cámara polaroid y los diagramas que se elaboraron, facilitan el trabajo; no se deben forzar las partes en ningún caso y estar seguro de que queden en la posición correcta.

5. Cuando todas las partes están en su lugar, checar otra vez; entonces, ya se puede colocar la cubierta o carcasa y atornillar las secciones juntas nuevamente.

6. Conectar nuevamente el electrodoméstico y poner en operación. Se debe estar alerta de que no se presenten ruidos extraños, calentamiento, o bien que huela a quemado. Si algo extraño se presenta, se desmantela nuevamente el electrodoméstico y se inicia la verificación otra vez.

5.4 USO DEL MULTÍMETRO.

Muchas de las pruebas que se hacen en los aparatos electrodomésticos para determinar su estado, son pruebas eléctricas que se hacen con un aparato muy útil, que es el multímetro, cuya construcción puede ser analógica o digital; en cualquier caso, cumplen con las mismas funciones pero aún continúa siendo más popular el tipo analógico, por su costo y simplicidad de construcción. Para el uso apropiado, se aplica el siguiente procedimiento.

1. Colocar el switch selector del multímetro a la posición deseada.

2. Tocar con las puntas de prueba del multímetro para probar los puntos.

3. Leer en la escala correcta sobre la carátula del instrumento.

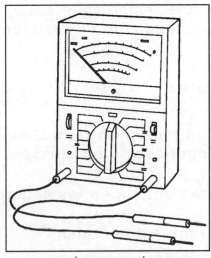

MULTÍMETRO ANALÓGICO

LAS PARTES DEL MULTÍMETRO.

EL SWITCH SELECTOR

Los multímetros tienen una perilla sobre su parte frontal que está rodeada por indicaciones de varias funciones que la unidad puede operar, incluyendo los rangos de medición de voltaje, tanto para corriente alterna (C.A.) como para corriente directa (C.D.), la medición de corriente en corriente directa y la medición de resistencia o de ohms.

ESCALAS

Arriba del switch selector está una ventana (en el tipo analógico) con escalas en forma de curva que están **etiquetadas** como: ohms, VCA (volts en corriente alterna), VCD (volts en corriente directa) y ADC (amperes en corriente directa).

PUNTERO O INDICADOR

En todas las escalas se lee por la posición de una aguja controlada por un tornillo de ajuste a cero. El puntero debe permanecer en cero cuando el medidor se pone en posición ON primero. Se puede girar el tornillo de ajuste hasta que la aguja esté apuntando a cero para todas las funciones, excepto para la medición de resistencia.

PERILLA DE AJUSTE DE OHMS

Cada vez que se ajuste el multímetro para lectura de ohms, el puntero se debe ajustar a cero sobre escala de ohms.

1. Colocar las puntas de prueba en los seguros del medidor.

2. Tocar entre si las puntas de prueba.

3. Girar la perilla de ajuste de ohms hasta que el puntero toque cero sobre la escala de ohms. Si el puntero se rehúsa a parar sobre el cero, entonces las baterías del multímetro están en mal estado y se requiere que sean reemplazados.

PRUEBAS DE CONTINUIDAD

El propósito de un multímetro es ayudar a determinar cuando la electricidad está circulando o fluyendo a través de una componente eléctrica. Si se prueba cada componente en un electrodoméstico, se puede verificar que la máquina está recibiendo electricidad.

CUANDO SE PRUEBA CONTINUIDAD

Es bueno recordar que la electricidad o corriente eléctrica, entra en una componente dada a través de un alambre conductor y sale de la misma a través de otro alambre, en consecuencia, se tiene que tocar con las puntas del medidor en ambos extremos o terminales. El procedimiento se indica a continuación:

1. **Desconectar el electrodoméstico.**

   Durante una prueba de continuidad no debe haber ninguna conexión a la alimentación.

2. **Girar el switch selector a la posición apropiada en ohms.**

   Si se están buscando fugas de corriente de los conductores a la cubierta o carcasa del electrodoméstico, es decir, si hay elementos o partes a tierra, se debe usar la escala en ohms más alta del multímetro.

3. **Ajustar el puntero** a cero ohms con la perilla de ajuste de ohms, hacer contactos con las puntas de prueba o fijar con los caimanes poniendo juntos los conductores y, entonces, llevar el puntero a cero ohms, haciendo girar la perilla de ajuste de ohms.

4. Poner en operación el electrodoméstico, no lo enchufe al contacto, sólo poner el switch en posición DENTRO-ON.

5. Tocar o fijar con los caimanes a las clavijas del cable de conexión. El puntero se debe mover, en caso de que no lo haga resetear el medidor a la escala más alta en ohms, cuando el puntero se mueve, se sabe que tanto el cordón o cable como el switch DENTRO-FUERA (ON-OFF) están permitiendo el paso de la corriente eléctrica hacia el electrodoméstico.

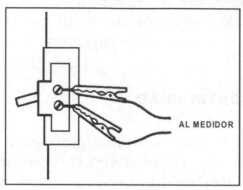

AL MEDIDOR

HACER CONTACTO O PONER UN CLIP EN LAS PUNTAS DE PRUEBA

6. Se colocan las puntas del multímetro en las terminales del switch DENTRO-FUERA (ON-OFF). Se pone el switch o apagador en la posición DENTRO (ON) y fuera (OFF). La aguja debe brincar cuando el switch está en ON, en caso de que no se mueva, significa que el switch está en mal estado y se debe cambiar.

7. Seguir el grupo de cables hasta la parte siguiente, tal como el timer, el switch selector, el motor, etc. Cualquier lectura que **sea alta o de infinito,** indica una resistencia considerable en la componente y, por lo tanto, circula una corriente muy pequeña, **si se obtiene una lectura de un valor pequeño de resistencia o de resistencia cero,** indica que hay un cortocircuito, o bien que circula demasiada corriente.

Si se encuentra un valor de corriente pequeña o que no circula corriente, se debe checar en primer lugar conexiones flojas o sucias.

5.5 QUÉ HACER CON LAS PARTES BÁSICAS.

Cada electrodoméstico tiene un gran número de partes o componentes que fueron hechas específicamente para un propósito, y si algo funciona mal con ellas, lo más simple es reemplazarlas, pero también hay un cierto número de componentes que se pueden probar de la misma manera, aún si tienen un aspecto distinto.

GRUPOS DE CORDONES.

Un grupo de cordón o conexión, consiste de una clavija, el cordón y frecuentemente un dispositivo de alivio al jalar en el propio electrodoméstico, que mantiene el cordón libre de esfuerzo de sus conexiones. Los cables o cordones se tuercen, se doblan, se machucan y se jalan de sus contactos desde los alambres, en lugar de hacerlo con las clavijas, por lo mismo los cables y cordones, debido al mal trato, son una fuente de fallas. Deben ser uno de los primeros puntos de revisión o inspección cuando un electrodoméstico deja de funcionar en forma apropiada.

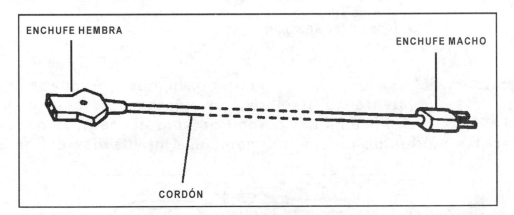

UN GRUPO DE CORDÓN CONSISTE DE UN ENCHUFE Y CABLE O CORDÓN

Una vez que el cordón entra a la máquina, se conectará el timer (temporizador o control de tiempo), al termostato, al motor y/o al switch; muy frecuentemente estas conexiones se hacen con conectores a presión. No es necesario disponer de un duplicado del grupo cordón, pero si recordar que el tamaño o calibre del conductor debe ser el mismo.

PRINCIPIOS BÁSICOS PARA LA REPARACIÓN DE ELECTRODOMÉSTICOS.

PROBANDO UN GRUPO DE CORDÓN.

Para determinar si un grupo de cordón de conexión está permitiendo la corriente a un electrodoméstico o si está en cortocircuito, se debe primero aislar del electrodoméstico, es decir se debe desconectar el aparato en primer término. Si el cordón está fijo en sus terminales al aparato, se debe desenganchar y mantener las terminales unidas con un caimán. Se puede también colocar un puente entre los extremos de los alambres, cuando no es posible separar los conductores de los extremos (por estar soldados).

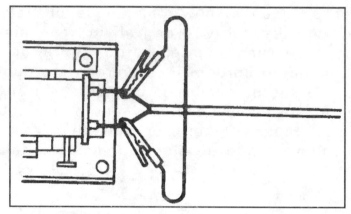

USAR UN PUENTE DE ALAMBRE CUANDO EL CORDÓN
NO SE PUEDE SEPARAR

Si el extremo del cordón tiene un contacto hembra, se puede insertar en los agujeros un puente de alambre con sujetadores, o bien puntas de prueba. Cuando el extremo del cordón ha sido aislado, se puede sujetar (o tocar) las puntas de prueba del medidor a las clavijas del enchufe.

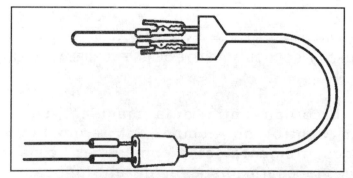

SE PUEDE USAR CAIMÁN PARA HACER UN PUENTE
EN LOS EXTREMOS DE UN CORDÓN

PRUEBA PARA DETERMINAR EN CORTOCIRCUITO.

1. Se ajusta el multímetro a la escala R x 100.

2. Se dobla y tuerce el alambre y se observa la aguja del medidor. Si la aguja lee cero ohms o brinca cuando el cordón se mueve, entonces se concluye que hay un cortocircuito en el alambre. Si se tiene una lectura de valor alto, entonces el cable o cordón está en buenas condiciones.

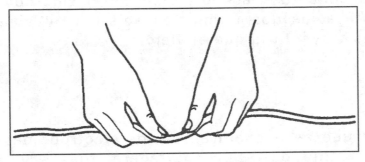

SE FLEXIONA EL CABLE O CORDÓN EN TANTO SE OBSERVA LA AGUJA DEL MULTÍMETRO

PROBANDO UN CIRCUITO ABIERTO.

1. Sujetar el medidor a las puntas macho.

2. Sujetar un puente (con alambre) a la clavija hembra.

3. Ajustar el multímetro a la escala R x 1.

Si el cable o cordón está abierto, la aguja del medidor brinca o tiene una lectura alta. **Cuando el cable o cordón está en buenas condiciones, la lectura del multímetro es cero ohms.**

ALAMBRANDO GRUPOS DE CABLES (HARNESSES).

Todas las distintas partes de un electrodoméstico están conectadas por alambres, todos los alambres juntos forman los grupos de cables conocidos también como Harnesses. Si el alambre que está dentro del electrodoméstico (en especial los electrodomésticos mayores) se ha degenerado, al punto en que debe ser cambiado, se puede cambiar, comprando un reemplazo del harnés, preferentemente del propio fabricante. Por lo general, un harnés llega en la forma de un gran número de alambres, largos y cortos, cada uno debe ser conectado a partes específicas, con un código de color que indica las terminales apropiadas. Se mantienen juntos por medio de un anillo de plástico y todos tienen una trayectoria específica dentro del electrodoméstico.

Cuando se cambia un harnés de alambres, se hace alambre por alambre a la vez, se desconecta el alambre viejo del mismo color que el nuevo y se conecta éste a las dos terminales abiertas, el alambre nuevo debe seguir la misma trayectoria que el viejo.

TERMINALES.

Las terminales que se encuentran en los electrodomésticos pueden ser atornilladas o enchufadas (tipo agarradera) fijas a los alambres en los extremos. Pueden ser también conexiones soldadas o tener puntas planas o redondas. Sin importar cuál es el aspecto de una terminal o cómo están conectadas, se deben mantener limpias en el punto donde se fijan, esto se puede lograr con una lija fina o con un spray limpiador.

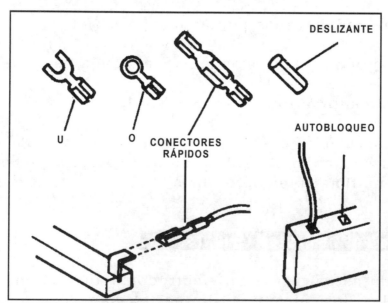

DISTINTOS TIPOS DE TERMINALES USADOS EN LOS ELECTRODOMÉSTICOS

PRINCIPIOS BÁSICOS PARA LA REPARACIÓN DE ELECTRODOMÉSTICOS.

APAGADORES (SWITCHES).

Todos los switches están diseñados para interrumpir el circuito, están cerrados y al abrir interrumpen el flujo de la corriente eléctrica a través de ellos, o bien cierran una conexión de manera que la corriente pueda entrar al electrodoméstico o a una parte del mismo. La mayoría de los switches que se encuentran en los electrodomésticos son pequeños y no se pueden reparar, en algunos se pueden limpiar los contactos, pero se deben cambiar cuando tienen defectos.

Cada tipo de switch tiene funciones mecánicas y eléctricas, ambas se deben probar cuando se sospecha que el switch tiene falla. Para probar la operación mecánica de un switch, se oprime su botón, se jala la palanca o se tuerce la perilla, según sea el tipo y se observa la suavidad uniforme de la acción, no se debe mover en forma irregular; doblar o estar esmerilado de ninguna manera, en caso de que lo esté, se debe cambiar el switch, algunos switch tienen láminas de metal como contactos, que se pueden dañar rápidamente.

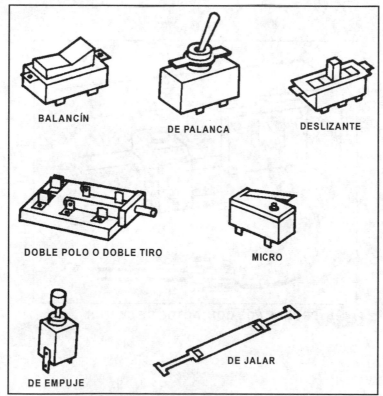

BALANCÍN DE PALANCA DESLIZANTE

DOBLE POLO O DOBLE TIRO MICRO

DE EMPUJE DE JALAR

TIPOS DE APAGADORES Y SWITCHES

En aquellos switches que tienen pequeñas hojas de lámina, éstas se deben doblar para lograr un mejor contacto.

La corriente eléctrica debe circular a través de un switch entrando por un lado y saliendo por el otro, generalmente a través de alambres conectados a sus terminales y fijos al cuerpo del switch.

Si es posible, se debe desconectar el switch del electrodoméstico cuando se haga la prueba de continuidad.

PRUEBAS DE SWITCHES PARA CONTINUIDAD.

1. Asegurar las puntas de prueba del medidor a los contactos del switch.

2. Ajustar el medidor en la escala R x 1.

3. Girar el switch varias veces a la posición DENTRO-FUERA.

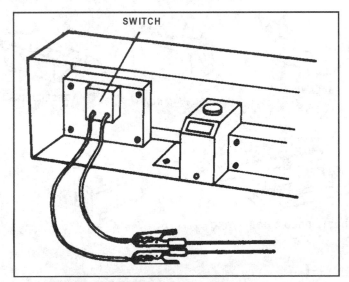

PROBAR LOS CONTACTOS DE SWITCH

PRINCIPIOS BÁSICOS PARA LA REPARACIÓN DE ELECTRODOMÉSTICOS.

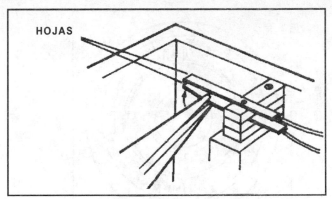

SE DOBLA LAS HOJAS DEL SWITCH PARA MEJORAR EL CONTACTO

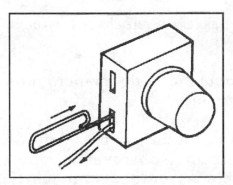

**SE PUEDE USAR UN CLIP PARA FIJAR UN ALAMBRE
EN UNA TERMINAL DE AUTO SUJECIÓN**

5.6 CONTROLES DE TIEMPO (TIMER).

Se podría decir que el último switch es un timer, el cual es esencialmente un centro de control de cualquier electrodoméstico que opera en ciclos (lavadoras de ropa o secadoras, lavavajillas. Los timers tienen un aspecto un poco distinto, pero en general todos funcionan casi en la misma forma. Algunos están operados por pequeños motores síncronos del tipo reloj, que accionan u operan sobre un eje o flecha, éstos tocan una serie de contactos eléctricos en diferentes partes de la máquina, en consecuencia, pueden haber tantos como 20 alambres de distintos colores saliendo del timer que van fuera para activar el motor una válvula de solenoide, switches, etc. El frente de un timer casi siempre tiene una perilla que se gira para ajustar el timer a las diferentes funciones que se tienen que desarrollar en el electrodoméstico.

Si un electodoméstico para de operar en forma apropiada y/o no opera en lo general, se debe iniciar el diagnóstico del problema potencial en el timer.

PRINCIPIOS BÁSICOS PARA LA REPARACIÓN DE ELECTRODOMÉSTICOS.

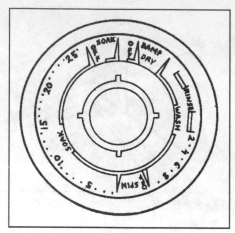

PERILLA DEL TIMER DE UNA LAVADORA

1. Abrir el electrodoméstico, de manera que se pueda observar la parte trasera del timer.

2. Poner el electrodoméstico en posición ON y vigilar el timer en acción. Específicamente, observar el motor fijo a su lado, si está también en condiciones de observar los lados de varios engranes pequeños los cuales giran a distintas velocidades; cuando no giran, probablemente el motor tiene una falla, entonces sí el problema es simple, se pueden colocar dos o tres gotas de aceite ligero para que funcione mejor, cuando no funciona esto, es necesario cambiar el timer.

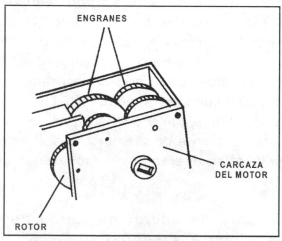

OBSERVAR EL MOTOR DEL TIMER EN ACCIÓN

Los motores para timers son muy pequeños y se requiere normalmente de un juego de herramientas de joyería para su reparación.

Para cambiar el motor del timer, se desconectan los dos alambres (generalmente uno blanco y uno negro) que van del motor a la parte trasera del timer, se deben retirar las tuercas o tornillos que sostienen al motor en el propio sitio y retirarlos. Se coloca el motor de repuesto al timer y se conectan los dos alambres a las terminales usadas por el motor viejo.

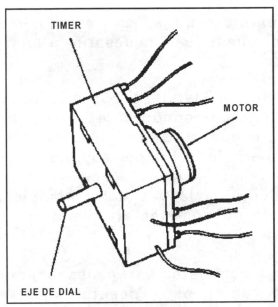

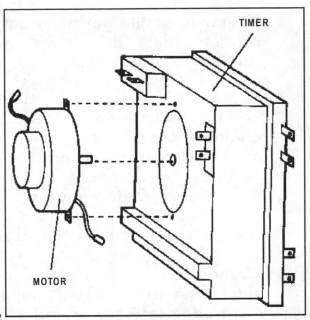

LOS TEMPORIZADORES (TIMERS) PUEDEN TENER DESDE DOS ALAMBRES HASTA MÁS DE VEINTE

SOLO DOS ALAMBRES VAN DEL MOTOR AL TIMER

3. Si el motor está funcionando, el problema está entonces en el timer mismo, y su reparación requiere de equipo especial y de cierta experiencia; las levas pueden estar dobladas o desajustadas o los contactos se encuentran sucios. Las levas dobladas no se pueden reparar, pero los contactos sucios se deben limpiar, si al asear los contactos se tiene nuevamente una falla para poner en servicio la unidad, entonces se le debe hacer al timer una prueba de continuidad, es decir, los 18 ó 20 alambres se deben probar y cuando se determine cuáles son los que no están trabajando, la unidad tendrá que ser cambiada.

CAMBIANDO EL CONTROL DE TIEMPO (TIMER).

1. **No quitar el timer viejo del electrodoméstico.**

   Tomar el número de parte de la componente que está en su caja contenedora y registrar también el número de serie del electrodoméstico, así como el nombre del fabricante para poder reemplazar las partes.

2. **Desconectar el electrodoméstico o desconectar su circuito derivado.**

3. **Retirar la perilla del timer del frente de su eje**, esto es usualmente retirado fuera de su eje, pero puede ser necesario aflojar un tornillo en ocasiones.

4. Retirar un conductor del timer viejo e instalarlo sobre la terminal correspondiente de la nueva unidad. Los conductores tienen todos distintos colores, los cuales junto con sus terminales se pueden encontrar o etiquetar con los números o letras correspondientes.

5. Continuar transfiriendo un conductor a la vez del timer viejo al timer nuevo, teniendo cuidado de no cometer errores durante la transferencia de los conductores.

6. Cuando el timer viejo está completamente desconectado, eléctricamente, se puede entonces desatornillar del electrodoméstico y retirarlo, pero antes, note su posición en forma cuidadosa.

7. Colocar y atornillar el timer de repuesto en su posición, tratando de conectarlo en el mismo ángulo que tenía el timer viejo.

8. Fijar la carátula de la perilla sobre el eje.

9. Enchufar o conectar el electrodoméstico y poner en operación, se debe verificar que se cumpla con el ciclo de trabajo.

5.7 TERMOSTATOS.

Los electrodomésticos pueden tener tres tipos de termostatos: Bimetálicos, de termodisco y unidades llenas de gas, que se encuentran por lo general en hornos y estufas.

TERMOSTATOS BIMETAL Y TERMODISCO.

Estos son por lo general pequeñas piezas de metal compuestas de dos o más aleaciones unidas, cuando se calientan los metales se expanden y contraen a distintos valores, lo que hace que se doblen o se retiren de la parte estacionaria del contacto eléctrico. Cuando un bimetal o termodisco no opera en forma apropiada, se puede reemplazar únicamente con otra componente idéntica.

TERMOSTATOS LLENOS DE GAS.

Estos tienen un tubo que se expande y contrae cuando el gas que se encuentra sellado en su interior, se calienta o se enfría.

El gas se expande bajo la acción del calor y pone cierta presión sobre pequeños diafragmas que abren o cierran contactos eléctricos.

Cambiando el ajuste de la perilla del termostato, se puede controlar qué tanto tomará el gas caliente para abrir y cerrar los diafragmas.

Si el tubo o sus diafragmas tienen fugas de gas, la unidad se debe parar de trabajar y en lugar de cambiar el termostato, se debe intentar reparar, ya que esto resulta más barato.

PROBANDO TERMOSTATOS.

1. Desconectar la alimentación al electrodoméstico.

2. Colocar el multímetro en la escala R x 1.

3. Poner el electrodoméstico a su punto de ajuste más alta (más caliente).

4. Tocar con las puntas de prueba a las terminales sobre cada lado del termostato.

Si el medidor lee alto, entonces el termostato está en malas condiciones y se debe reemplazar, **en cambio si el multímetro o medidor registra cero ohms,** entonces el termostato está en buenas condiciones.

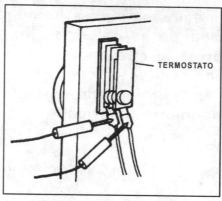

PROBANDO UN TERMOSTATO

CAMBIO DE TERMOSTATOS.

Cambiar un termostato de lámina bimetálica o de termodisco desconectando sus contactos eléctricos y retirando los tornillos o tuercas que lo mantienen en su posición. Asegurarse de que la nueva unidad se coloque en su lugar y se conecten los alambres a sus terminales.

Un termostato lleno de gas puede tener más de un conductor o alambre sujeto o fijo, de manera que se debe tener cuidado de anotar qué alambre está conectado, antes de que se retire de la unidad vieja. Al cambiar un termostato lleno de gas, se debe instalar no sólo un nuevo diafragma, sino también el tubo sensor y el bulbo.

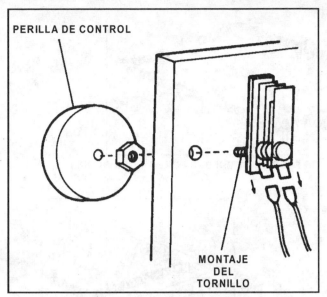

LOS TERMOSTATOS SE PUEDEN RETIRAR FÁCILMENTE Y CAMBIAR, POR LO GENERAL TIENEN UN PAR DE CONTACTOS Y UNOS POCOS TORNILLOS

5.8	ELEMENTOS DE CALEFACCIÓN.

Los elementos de calefacción en los tostadores de pan, waffleras y otros electrodomésticos pequeños, frecuentemente toman la forma de un alambre cuya resistencia al paso de la corriente eléctrica hace que el conductor eleve su temperatura. En hornos y estufas eléctricas, así como lavavajillas y algunos otros electrodomésticos, el elemento de calefacción es con frecuencia una varilla sólida, o bien conductores embebidos en un contenedor de cerámica.

Los elementos de calefacción no se deben reparar nunca, ya que cada reparación crea un debilitamiento en el enlace y disminuye su comportamiento. Si el elemento está en forma de bobina o como un conductor recto, forma trayectorias en serie a través de portadores o contenedores de cerámica, con sus extremos conectados a conductores eléctricos. Los elementos en forma de barra o varilla, generalmente se enchufan en sockets eléctricos y para su cambio simplemente se desenchufan.

PRINCIPIOS BÁSICOS PARA LA REPARACIÓN DE ELECTRODOMÉSTICOS.

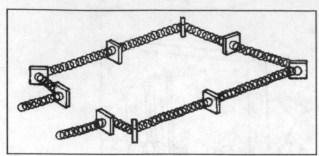

LOS ELEMENTOS DE CALEFACCIÓN SE PUEDEN FORMAR CON BOBINA

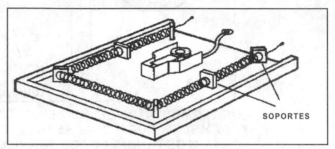

LA RESISTENCIA DE ALAMBRE SE SOSTIENE POR MEDIO DE ALAMBRES

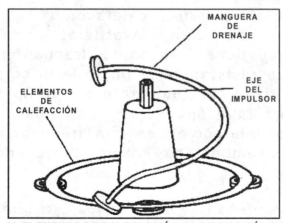

AL ELEMENTO DE CALEFACCIÓN ES DE TIPO SÓLIDO
EN ESTE CASO A BASE DE VARILLA METÁLICA

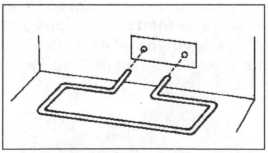

LAS VARILLAS SE ENCHUFAN EN UN SOCKET

PRINCIPIOS BÁSICOS PARA LA REPARACIÓN DE ELECTRODOMÉSTICOS.

PROBANDO LOS ELEMENTOS DE CALEFACCIÓN.

1. Desconectar el electrodoméstico

2. Retirar el elemento de calefacción del circuito del electrodoméstico.

3. Ajustar la escala del multímetro a la escala R x 1.

4. Sujetar las puntas del medidor a las terminales del elemento de calefacción.

   Si la aguja del medidor tiene una lectura entre 10-20 ohms el elemento está en buenas condiciones, si la lectura del medidor es alta, el elemento no está operando bien y entonces se debe cambiar.

SOLENOIDES.

Los selenoides abren y cierran switches, y la entrada de agua y salida de los puertos. Un solenoide simplemente es una bobina de alambre enrollada alrededor de un tubo.

Cuando la corriente fluye a través de un conductor, se crea un campo magnético que atrae o repele un émbolo o vástago en el tubo, el émbolo a su vez abre o cierra el puerto o dispara un switch.

Las terminales eléctricas se pueden corroer, por lo tanto, se debe limpiar y lubricar el émbolo o vástago en caso de que no se mueva suavemente. Cuando el vástago está doblado, se debe cambiar. Si el resorte de retorno está doblado o vencido, se debe reemplazar. Cuando no hay continuidad en el solenoide o no se puede hacer funcionar en forma apropiada, se debe cambiar el solenoide.

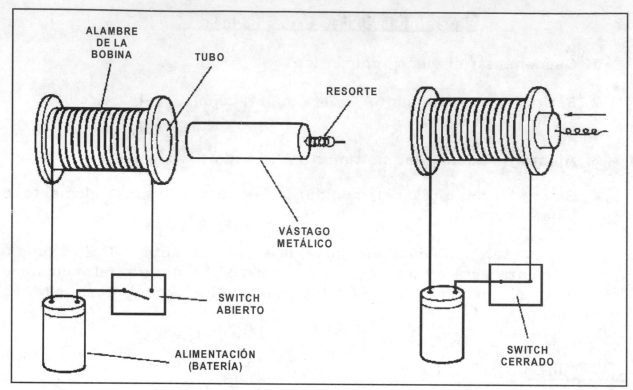

FORMA EN COMO TRABAJA UN SELENOIDE

PRUEBA DE UN SOLENOIDE.

1. Desconectar el electrodoméstico y desarmarlo.

2. Desconectar un alambre conectado al solenoide.

3. Ajustar el medidor a la escala R x 100.

4. Sujetar las puntas de prueba del medidor a las terminales del solenoide. **Si la lectura del solenoide es alta, entonces tiene falla,** si la lectura del medidor está entre 250-1000 ohms, entonces se dice que el solenoide está en buen estado.

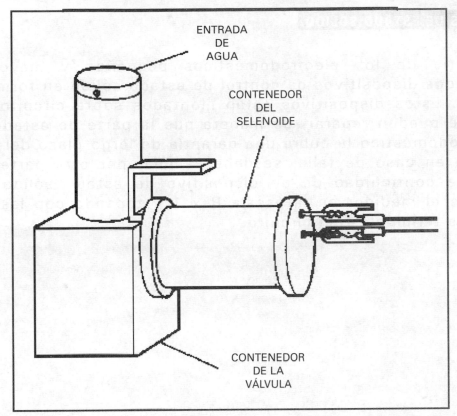

ENTRADA
DE
AGUA

CONTENEDOR
DEL
SELENOIDE

CONTENEDOR
DE LA
VÁLVULA

EL SELENOIDE EN PRUEBA CONTROLA UNA VÁLVULA DE AGUA

PRINCIPIOS BÁSICOS PARA LA REPARACIÓN DE ELECTRODOMÉSTICOS.

CONTROLES DE ESTADO SÓLIDO.

La mayoría de los electrodomésticos pequeños y mayores tienen incorporados dispositivos de control de estado sólido en forma parcial o completa. Estos dispositivos están montados sobre circuitos impresos que no se pueden reparar, de manera que la parte de estado sólido de un electrodoméstico la cubre una garantía de largo plazo del fabricante, en donde en caso de falla, se debe cambiar por otra parte nueva. La prueba de continuidad de un dispositivo de estado sólido se realiza colocando el medidor en la escala R x 1 y tocando con las puntas de prueba las terminales del circuito.

6 REPARACIÓN DE ELECTRODOMÉSTICOS MAYORES

6.1 INTRODUCCIÓN

Algunos electrodomésticos son aparatos para producir calor, tal es el caso de los tostadores, las waffleras, etcétera, pero también existen aparatos, en donde los motores son un elemento importante, por ejemplo, se usan para accionar compresores en los refrigeradores, para producir vacío en las aspiradoras, para mezclar alimentos en las licuadoras o procesadoras de alimentos, para girar la ropa en las lavadoras y secadoras, para producir movimiento en las lavadoras de platos y, de hecho, si se revisa en una casa, se sorprenderá la cantidad de motores eléctricos que intervienen en muchas aplicaciones.

El tamaño de los motores se designa de acuerdo con la cantidad de potencia que entregan, y dado que los motores pequeños son usualmente de una eficiencia del orden del 70%, es necesario poner la potencia eléctrica en unidades mecánicas para una mejor comprensión de lo que sucede.

La potencia de los motores se expresa en forma usual en "**caballos de fuerza**" (Horse Power o HP) y 1 HP = 746 watts, por lo tanto, un motor de 1/4 de HP es el equivalente de 1/4 de 746 ó 186.5 watts, debido a que la eficiencia es del 70%, la potencia requerida es entonces 186.5/0.70 = 266 watts. Los motores que entregan menos de 1 HP se les nombra como *fraccionarios* y se conocen como MOTORES FRACCIONARIOS, prácticamente todos los motores usados en los electrodomésticos son del tipo fraccionario y van de un rango entre 1/20 HP a ¾ de HP.

Los motores se han diseñado para operar con corriente alterna únicamente o con corriente directa exclusivamente, y en ocasiones con ambas. El motor que puede operar en forma indistinta con corriente alterna o corriente directa se denomina **Motor Universal**. Los motores que operan con corriente alterna únicamente, se conocen como **motores de inducción**. La mayoría de los motores usados en los electrodomésticos son: del tipo universal o uno o dos tipos de motores de inducción, **los de fase partida** o los **motores de arranque con capacitor**.

Un tercer tipo de **motor de inducción**, es el llamado **motor de polos sombreados**, que se usa ocasionalmente en algunos electrodomésticos.

En la selección de un motor para un electrodoméstico en particular, el fabricante debe considerar las propiedades de los motores y los requerimientos del electrodoméstico, así como los costos. Un motor que puede trabajar bien en un calentador eléctrico, resulta no satisfactorio en una licuadora, pero también un motor de licuadora se puede hacer trabajar en un calentador, pero podría ser más costoso que el motor que se usa normalmente en esa aplicación.

El criterio para la selección incluye: velocidad, reversabilidad y par ¿La velocidad debe ser constante o variable?, ¿Se puede invertir la dirección de rotación?, ¿Puede el motor arrancar con una carga pesada?, ¿La velocidad de rotación se ve afectada por la carga?.

Algunos electrodomésticos operan con velocidad constante y otros requieren de dos o más velocidades, como es el caso de las licuadoras; la mayoría de los electrodomésticos no requieren ser reversibles, por lo mismo no demandan motores reversibles. El llamado **PAR** es la fuerza de rotación del motor, si el motor puede arrancar bajo una carga pesada, se dice que tiene **un alto par de arranque**, una vez que el motor este operando necesita menos fuerza para mantener la rotación.

Otra consideración importante es la llamada **corriente de arranque**, cuando un motor se energiza, hay una onda de corriente hasta que el motor comience a girar, esto se conoce técnicamente como la **corriente de rotor bloqueado**, dado que es la corriente con el rotor estacionario.

Cuando el motor gira a su velocidad normal, la corriente que demanda el motor es mucho menor que la corriente de rotor bloqueado, y se le denomina **la corriente nominal del motor**.

Los motores usados en los electrodomésticos, como ya se mencionó antes, pueden ser de fase partida, de polos sombreados, de arranque con capacitor o del tipo universal, y aún cuando de alguna manera se observa con un aspecto diferente, tienen las mismas componentes básicas y operan de acuerdo con el mismo principio básico: La electricidad que circula a través de un conductor crea un campo magnético en la periferia del mismo, si hace una bobina con el alambre alrededor de un núcleo, con un hueco en la parte central, el campo magnético se concentra en el centro del hueco, de manera que si se devana una segunda bobina alrededor de un núcleo sólido, tal como si se tratara de un eje y se inserta el núcleo sólido en el hueco, el campo magnético hace girar al núcleo sólido, este núcleo sólido rotatorio se conoce como **ARMADURA**.

Por lo tanto, los motores eléctricos consisten principalmente de longitudes largas de conductores de alambre enrolladas alrededor de piezas metálicas, los conductores pueden ser de diferente calibre y estar devanados en distintas formas o configuraciones, de manera que crean varias clases de campos magnéticos.

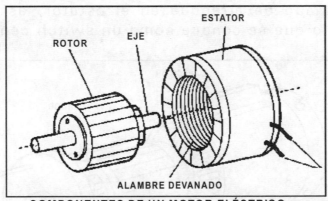

COMPONENTES DE UN MOTOR ELÉCTRICO

El motor de inducción básico, consiste de dos partes principales: **El estator** o parte estacionaría y el **rotor** o parte rotatoria, el estator está conectado a un marco o carcasa para su montaje, el rotor debe girar libremente y está por lo general soportado por chumaceras o baleros que fueron montados sobre el mismo marco. El rotor de un motor de inducción es por lo general una fundición sólida que no tiene bobinas devanadas sobre el mismo, más bien barras que están unidas en sus extremos por unos arillos y se conoce como **rotor de Jaula de Ardilla.**

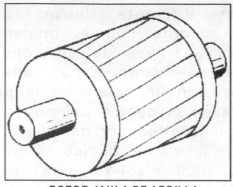

ROTOR JAULA DE ARDILLA

6.2 **MOTORES DE FASE PARTIDA.** Este tipo de motores se usan por lo general en ventiladores, máquinas de lavado (de ropa y de platos), quemadores de aceite, bombas y en cualquier tipo de electrodomésticos que requiera de una sola velocidad y potencia para trabajo rudo o severo. Alineado con el rotor, se tiene un devanado principal o de trabajo y el devanado de arranque en el estator, así como las tapas, también incluyen lo que se conoce como un switch centrífugo.

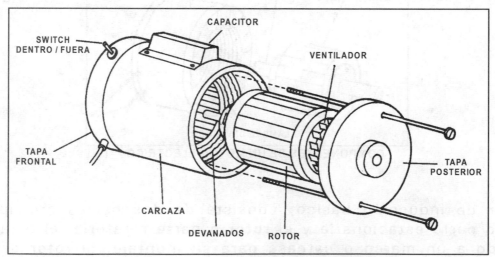

COMPONENTES DE UN MOTOR DE FASE PARTIDA

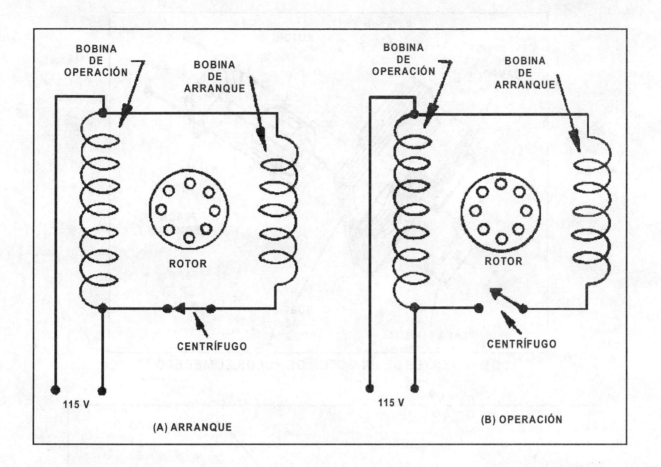

(A) ARRANQUE

(B) OPERACIÓN

| **6.3** | **MOTORES DE POLOS SOMBREADOS.** |

Los motores de polos sombreados se usan normalmente en ventiladores, secadoras de cabello y algunos otros electrodomésticos que requieren de un par de arranque bajo, son bastante confiables y consisten de un estator (marco del devanado de campo) un rotor y tapas.

El llamado polo sombreado es un polo laminado donde se tiene la bobina de campo, en donde una corriente inducida en la lámina o tira de cobre produce el campo magnético defasado y permite que el motor arranque.

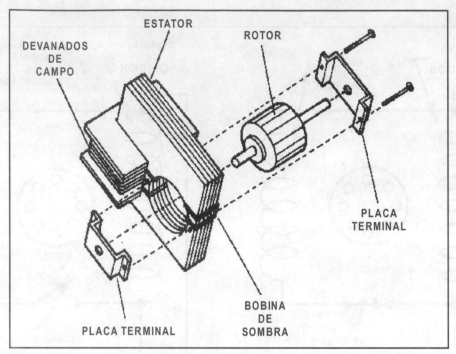

ESTATOR

DEVANADOS
DE
CAMPO

ROTOR

PLACA
TERMINAL

PLACA TERMINAL

BOBINA
DE
SOMBRA

COMPONENTES DE UN MOTOR DE POLOS SOMBREADOS

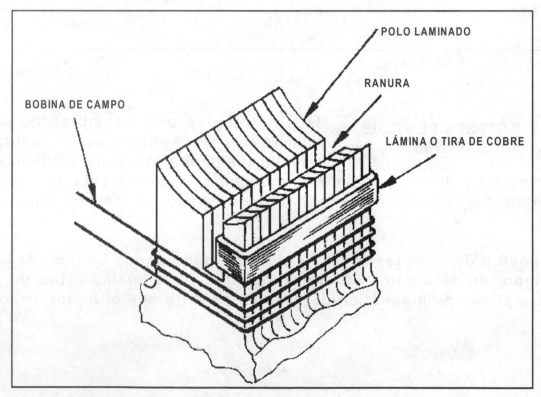

POLO LAMINADO

RANURA

LÁMINA O TIRA DE COBRE

BOBINA DE CAMPO

POLO SOMBREADO

6.4 MOTORES CON CAPACITOR.

Los motores con capacitor se usan primordialmente en los refrigeradores, congeladores, equipos de aire acondicionado, quemadores de aceite, máquinas de lavado (ropa y platos), bombas y algunos otros electrodomésticos que requieren de un motor relativamente poderoso. Hay varios tipos de motores con capacitor, pero todos trabajan como motor de fase partida.

En el motor de fase partida es necesario tener dos campos defasados para arrancar el motor, esto se logra por las bobinas de dos devanados de campo distintos. Otra forma de producir un campo diferente en una segunda bobina, es colocando un capacitor en serie con la bobina, como se muestra en la siguiente figura. La bobina A está directamente a través de la línea y la bobina B se encuentra en serie con el capacitor C, que introduce un defasamiento a través de la bobina B, de manera que las dos bobinas están defasadas.

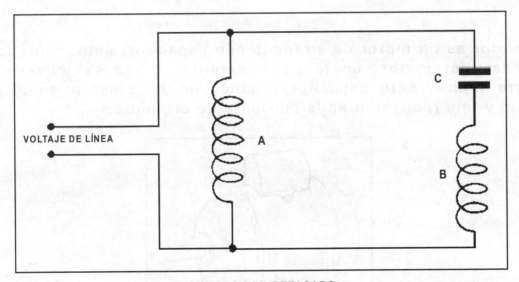

VOLTAJE DE LÍNEA

CAPACITOR DEFASADO

Este principio es usado en los motores de arranque con capacitor como se muestra en el circuito de la siguiente figura (A), que corresponde al motor en reposo. Cuando el motor está en operación, el switch centrífugo abre, como se muestra en la figura (B), y ahora, el capacitor y la bobina de arranque están retiradas del circuito.

REPARACIÓN DE ELECTRODOMÉSTICOS MAYORES

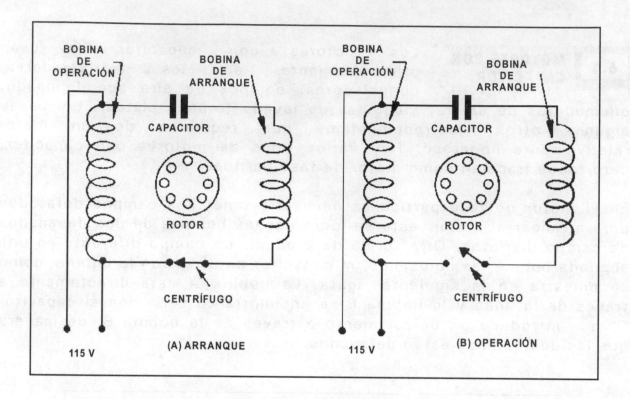

El capacitor es un motor de arranque con capacitor, está montado sobre la carcasa del motor, en la parte exterior, como se muestra en la siguiente figura. Este capacitor produce un incremento en el par de arranque y una reducción en la corriente de arranque.

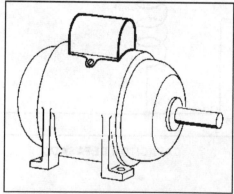

VISTA DE UN MOTOR CON CAPACITOR

Por sus características, este tipo de motor se puede usar en refrigeradores y equipos de aire acondicionado, ya que no producen un parpadeo excesivo.

LOS CAPACITORES. Un capacitor es una unidad de almacenamiento para la electricidad, cuando se conecta a un motor proporciona un ligero desplazamiento en el tiempo o fase y produce el desplazamiento necesario en la corriente del devanado de arranque del motor para proporcionar el par de arranque. Básicamente hay dos tipos de capacitores: **electrolíticos y en aceite.**

LOS CAPACITORES ELECTROLÍTICOS. Son dos hojas de lámina delgada de aluminio separadas por una capa de material denominado **"Electrolito"**, el conjunto de placas u hojas con la capa de electrolito se encuentran en un contenedor plástico. Los capacitores electrolíticos en los motores eléctricos funcionan sólo por unos cuantos segundos y se desconectan del circuito en cuanto el motor adquiere el 75% de su velocidad.

LOS CAPACITORES EN ACEITE. Estos capacitores están dentro de contenedores sellados y son papel saturado de aceite. También hay dos hojas de lámina conectadas a las terminales sobre un extremo del contenedor. **Estos capacitores tienen capacidad de funcionar en forma continua** y no se deben retirar del circuito después de que el motor ha tomado su velocidad de operación.

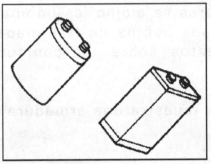

LOS CAPACITORES PUEDEN TENER FORMA
CILÍNDRICA O CUADRADA

6.5 | MOTORES UNIVERSALES. En los motores de inducción estudiados en los párrafos anteriores, los rotores son sólidos, con partes de metal fundido y sin conexiones eléctricas con los polos o devanado del estator. El motor universal opera sobre un principio totalmente distinto y además es diferente en apariencia. Montados sobre la carcaza del motor se tienen dos bobinas de campo sobre polos laminados. La armadura está soportada sobre estas piezas polares. La armadura es el rotor con bobinas devanadas.

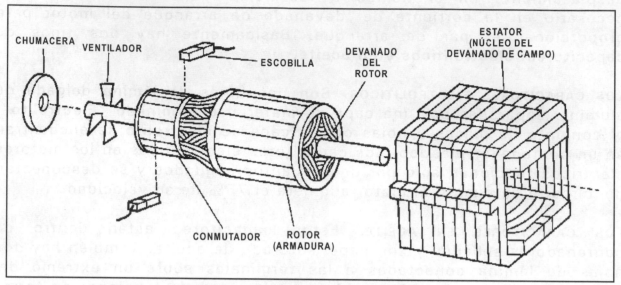

COMPONENTES DE UN MOTOR UNIVERSAL

La armadura está fabricada de láminas metálicas troqueladas y ranuradas, en estas ranuras se alojan las bobinas que se devanan por lo general directamente. Cada bobina de la armadura está conectada a un par de contactos opuestos sobre un conmutador, pero aislada del núcleo del rotor.

En la siguiente figura, se muestra una armadura sin bobinas.

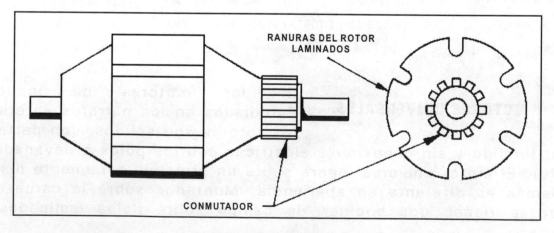

VISTA DE UNA ARMADURA

La bobina de campo, sobre la carcasa del motor y una bobina en la armadura están siempre **conectadas en serie**, el circuito eléctrico se muestra en la siguiente figura:

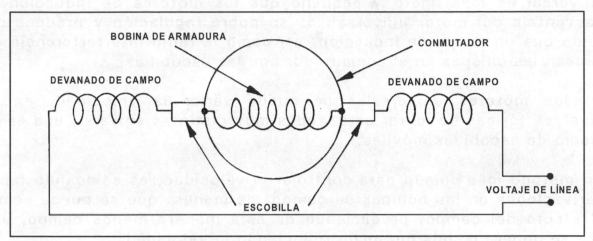

BOBINA DE ARMADURA

CONMUTADOR

DEVANADO DE CAMPO

DEVANADO DE CAMPO

VOLTAJE DE LÍNEA

ESCOBILLA

CIRCUITO DEL MOTOR UNIVERSAL

La conexión entre el devanado de armadura y el devanado de campo en los motores de tipo universal, se hace por medio de **escobillas que son de grafito o carbón** en forma cilíndrica o rectangular, que conducen la corriente de la bobina de campo del motor al conmutador, lo que hace que el eje y rotor giren.

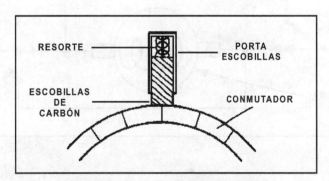

RESORTE

PORTA ESCOBILLAS

ESCOBILLAS DE CARBÓN

CONMUTADOR

ESCOBILLA DE UN MOTOR UNIVERSAL

El conmutador es simplemente un anillo metálico formado por ranuras separadas en cada sección por tiras de mica, cada par de secciones opuestas está conectada a secciones opuestas sobre la armadura.

El motor universal tiene un par de arranque extremadamente alto y una elevada velocidad; se usa en aplicaciones donde es necesario arrancar un motor bajo cargas pesadas. Para una potencia dada en HP, el motor universal es más ligero y pequeño que los motores de inducción. La desventaja del motor universal, es su pobre regulación y produce más ruido que un motor de inducción, así como la radio interferferencia que causan las chispas en el conmutador con las escobillas.

En los motores universales se puede variar la velocidad, existen diversas formas de lograr esto, todas muy distintas entre si, una es por medio de escobillas móviles.

Un método más común para controlar la velocidad, es colocando taps o derivaciones en las bobinas de campo, de manera que se puede acortar el efecto del campo, produciendo de esta manera menos campo, a su vez se genera menos potencia, reduciendo la velocidad.

La dirección de rotación de un motor universal serie, como el usado en los aparatos electrodomésticos, se puede invertir, al alterar a su vez las conexiones de la armadura; una forma de hacer esto se expone en la siguiente figura, en donde se muestran dos switches, pero en la práctica se usa un solo switch con doble polo y doble tiro.

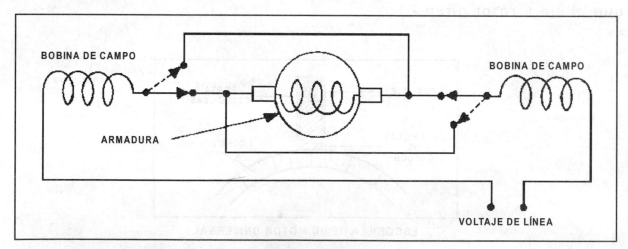

BOBINA DE CAMPO

BOBINA DE CAMPO

ARMADURA

VOLTAJE DE LÍNEA

SWITCH INVERTIDO

6.6 RESUMEN DE LAS CARACTERÍSTICAS DE LOS MOTORES.

Un motor de polos sombreados es de construcción simple y rara vez requiere de mantenimiento, tiene un par de arranque bastante bajo y opera a velocidad constante, se puede usar para aplicaciones que requieren de muy poca potencia, donde la carga es mínima.

Los motores de inducción de fase partida tienen un par de arranque bajo y una corriente de arranque alta, operan a una velocidad constante, se usan en aplicaciones de baja y mediana potencia, en electrodomésticos que no se arranquen y paren frecuentemente. La corriente de arranque alta puede producir flicker.

El motor de arranque con capacitor tiene par de arranque medio, corriente de arranque media y opera con velocidad constante. Puede proporcionar más potencia que el motor de fase partida, se puede usar en aparatos electrodomésticos que se paren y arranquen con frecuencia, sin producir el efecto de flicker. Debido al uso de capacitor, este motor es más caro, comparativamente con su motor de fase partida.

El motor universal o serie tiene muy alto par de arranque y puede arrancar con carga pesada, tiene una corriente de arranque muy baja, la velocidad es variable y depende de la carga.

Estos motores se usan en electrodomésticos que pueden arrancar y operar bajo condiciones de carga variables.

En la tabla siguiente, se dan algunas aplicaciones típicas de los motores.

APLICACIONES DE MOTORES

ELECTRODOMÉSTICO	POTENCIA TÍPICA (HP)	TIPO DE MOTOR
Ventiladores pequeños	Menos de 1/20	Polos sombreados
Ventiladores medios	Hasta 1/3	Fase partida
Grandes ventiladores	¼ - 1	Arranque con capacitor
Mezcladoras o procesadores de alimentos	1/10	Universal
Licuadoras	2/3	Universal
Aspiradoras	¼ - ¾	Universal
Extractor de jugos	1/6	Universal
Lavadoras	¼ - 1/2	Fase partida
Refrigeradores	1/6	Arranque con capacitor
Secadoras de pelo	1/20	Polos sombreados
Máquinas de coser	¼ - ¾	Universal

6.7 LOCALICACIÓN DE FALLAS EN MOTORES

Cuando un motor deja de funcionar en forma apropiada, se debe a que tiene una falla y es necesario que se localice, con esto se determina si es indispensable cambiar baleros o chumaceras, conductores, conectores, switches, etcétera. En la mayoría de los casos se puede probar un motor sin necesidad de retirarlo del electrodoméstico, pero siempre se debe desconectar el aparato cuando se mida la resistencia.

PRUEBA DE CAPACITORES (PARA RESISTENCIA).

1. Desconectar el electrodoméstico, el capacitor y retirar.

2. Colocar la punta de un desarmador plano a través de las terminales para descargar el capacitor de corrientes residuales.

REPARACIÓN DE ELECTRODOMÉSTICOS MAYORES

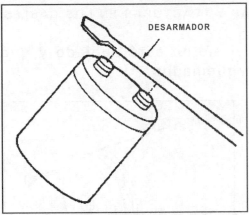

CON UN DESARMADOR DE MANGO DE HULE
SE DESCARGA EL CAPACITOR

3. El contenedor del capacitor debe tener una leyenda en ohms del valor del capacitor. El multímetro, colocado para medir ohms, se debe ajustar de acuerdo al valor indicado en el capacitor.

4. Con las puntas de prueba se toca cada terminal del capacitor, si la lectura es menor de 10 ohms, el capacitor está en corto y se debe cambiar por otro de la misma capacidad.

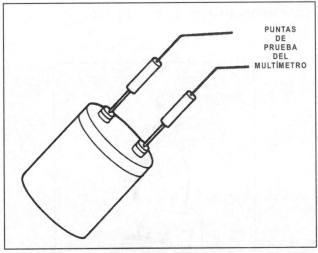

PROBANDO EL CAPACITOR

Cuando el capacitor tiene más de dos terminales, se prueba colocando una de las puntas de prueba sobre la terminal común (C) y se toca con la otra punta, cada una de las terminales restantes.

LOCALIZACIÓN DE FISURAS Y FRACTURAS EN LOS CABLES TAPAS DEL MOTOR.

1. Asegurarse que el eje no esté doblado y que los cables o cordones no estén rotos o quemados.

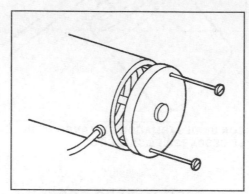

VERIFICAR EL CABLE Y LAS TAPAS

Se quitan los tornillos de los portaescobillas del motor universal y se retiran las escobillas, si están más anchas que lo que deben tener de largas, se procede a cambiar; verificar también los resortes de las escobillas para observar desgastes y fracturas. Las escobillas se deben desplazar libremente y sus resortes los deben empujar firmemente contra el conmutador.

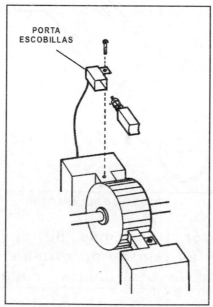

PORTA
ESCOBILLAS

RETIRAR LAS ESCOBILLAS

Las escobillas nuevas tienen sus extremos planos y es necesario que les den curvatura para que se ajusten al conmutador, para esto, se coloca una lija suave alrededor del conmutador y se hace girar, de manera que las escobillas se desgasten al ir girando en forma manual.

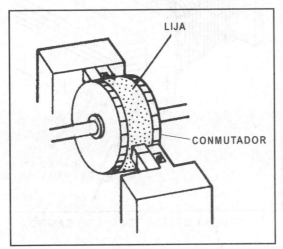

SE GIRA EL CONMUTADOR DE MANO PARA LIMPIAR CON UNA LIJA

2. Verificar juego o movimiento en el eje del motor.

Si el eje tiene movimiento, significa que los baleros o chumaceras están desgastados, se debe girar el eje, en caso de que se atore y no gire libremente, puede estar doblado o las chumaceras en mal estado. Cualquier situación de estas puede causar una interrupción del circuito por fusibles fundidos o disparo de interruptor.

3. Arrancar el motor.

Colocar una punta del probador (lado vivo) contra el conductor del devanado de trabajo y la otra punta contra el núcleo o tierra. Si la lámpara de prueba enciende o prende, entonces se dice que el devanado está a tierra y se debe observar si algún conductor se encuentra haciendo contacto contra el núcleo o tierra.

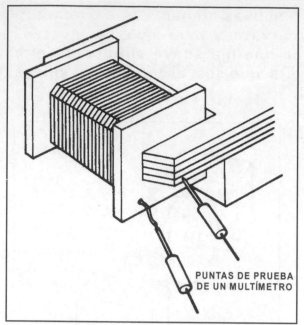

PUNTAS DE PRUEBA
DE UN MULTÍMETRO

PRUEBA DE UNA BOBINA DE CAMPO

4. Hacer operar el motor por unos pocos segundos.

Si se funden los fusibles, se dispara el interruptor, echa humo, produce bastante ruido y opera lento o muy rápidamente, es probable que se tenga algún devanado quemado o parcialmente en cortocircuito.

5. Retirar las tapas del motor.

Retirar el estator del rotor, si los alambres del devanado son negros, quiere decir que están quemados y se deben cambiar.

Probando las bobinas de campo para determinar circuitos abiertos.

1. Colocar el medidor en la escala R x 100.

2. Tocar con una punta del medidor cada una de las terminales de la bobina de campo.

3. Si la lectura del medidor es infinito (ohms), hay un circuito abierto (conductor roto) en la bobina.

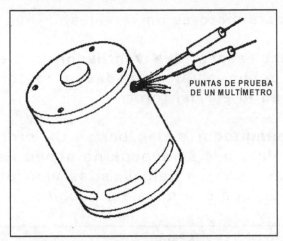

PROBANDO CIRCUITOS ABIERTOS

Probando las bobinas de campo para determinar fugas a tierra.

1. Ajustar el medidor en la escala R x 100.

2. Tocar con una punta de prueba la terminal de la bobina de campo.

3. Tocar con la otra punta de prueba a la carcaza del motor.

Si el medidor da una lectura alta, hay una fuga de corriente en la carcaza del motor y es probable que produzca un shock. Si la lectura del instrumento es infinito, **NO HAY FUGA DE CORRIENTE.**

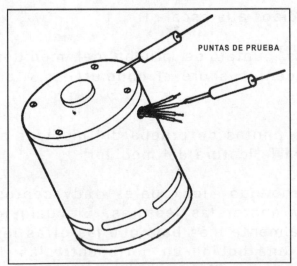

SE PRUEBA PARA DETERMINAR FUGA A TIERRA

Pruebas especiales para motores universales.

1. **Inspeccionar las aspas del ventilador** sobre el eje del motor universal, no deben estar dobladas o rotas, el ventilador debe sujetarse bien en el eje del rotor.

2. **Observar el conmutador** si las barras de bronce están separadas por cintas de mica, que se supone no deben estar más altas que la superficie de las barras o delgas, si se ven rebasadas por la mica, éstas se cortarán con una navaja o cuchillo.

CUALQUIER MICA QUE ESTÁ MÁS ALTA QUE EL
CONMUTADOR SE DEBE DE CORTAR

PROBANDO EL CONMUTADOR DE UN MOTOR UNIVERSAL.

Cuando el motor opera caliente, produce chispas o no arranca, entonces se dice que hay un cortocircuito en el conmutador

1. Ajustar el medidor a la escala R x 1.

2. Tocar con las puntas de prueba del medidor a las dos barras **(delgas)** adyacentes sobre el conmutador y anotar la lectura del medidor.

3. Tocar con las puntas de prueba del medidor a las siguientes dos barras y anotar la lectura del medidor.

4. Continuar probando los pares adyacentes de barras del conmutador y anotar las lecturas. Si cualquiera de las lecturas está sustancialmente más baja que las otras lecturas, entonces se dice que hay una bobina en corto entre las dos barras o delgas con la lectura baja. Si se presenta en cambio una lectura alta,

poco usual entre cualquier par de barras, entonces se tiene una bobina abierta en ia armadura entre las dos barras.

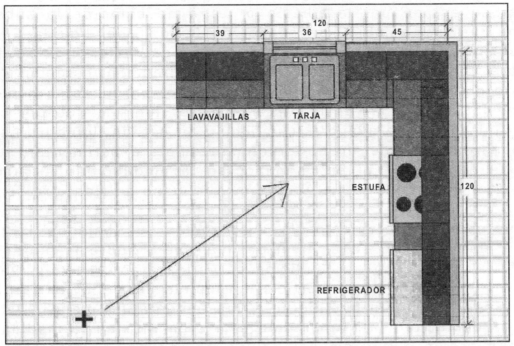

LOCALIZACIÓN DE COMPONENTES EN UNA COCINA INTEGRAL PARA INSTALACIÓN DE GAS Y AGUA (VISTA EN PLANTA)

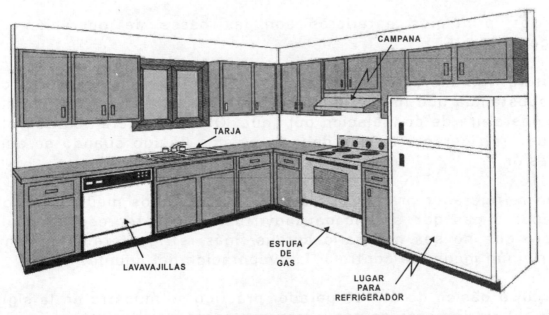

PERSPECTIVA

6.8 REPARACIÓN DE REFRIGERADORES.

Todas las substancias existen en una de las tres formas físicas, a saber: sólidos, líquidos o gaseosas, es posible para una substancia cambiar su estado por la adición o retiro de calor de la substancia, cuando una se cambia de sólida a líquida, de líquida a gas o directamente de sólida a gas, **se debe agregar calor** a la substancia, cuando el cambio de estado está en la otra dirección, es decir, de gas a líquido o de líquido a sólido o de gas a sólido, entonces **se debe retirar calor** de la substancia. En la práctica, esto significa que por ejemplo, cuando un líquido se evapora (cambiando de estado líquido a gaseoso), debe absorber calor del medio circundante. Para experimentar, se puede tratar de poner alcohol en la mano, en la medida que el alcohol se evapora toma calor de la piel y entonces la mano se siente fresca.

Otro método de incrementar la evaporación, es bajando la presión. El agua hierve a 100 °C al nivel del mar, pero sobre la punta de una montaña alta el punto de ebullición es varios grados menos, ya que la presión del aire sobre la superficie del líquido es menor en la punta de la montaña, de manera que hierve a una temperatura menor. Debajo del punto de ebullición, la evaporación se incrementa en la medida que la presión sobre la superficie del líquido se reduce, inversamente, si la presión se aumenta, la evaporación es más lenta.

Los dos principios anteriores son las bases de operación de un refrigerador.

En los refrigeradores eléctricos, se usa un **refrigerante especial**, que es una substancia que hierve a una temperatura baja, mucho más baja que la temperatura de congelación del agua. Otra característica deseable de un buen refrigerante es que debe cambiar a líquido cuando se aumenta la presión.

En un refrigerador práctico se deben tener algunos medios de colectar el vapor o gas que se escapa convirtiéndolo de regreso a líquido, de manera que no sea necesario agregar más refrigerante. También debe haber algún medio de controlar la evaporación del líquido.

El circuito básico de un refrigerador práctico se muestra en la siguiente figura, el refrigerante se encuentra contenido en un sistema cerrado de tubos y se mueve a través del sistema por medio de un compresor.

El compresor es una simple bomba accionada por un motor eléctrico. Toma vapor tibio del lado izquierdo y se empuja en el interior del condensador, lo cual es simplemente recorrer una cierta longitud de tubo pasando por la parte de atrás y empujando de manera que la longitud total puede estar contenida en la parte de atrás del refrigerador.

Obsérvese que el evaporador está dentro de la caja aislada, pero el resto de las componentes están afuera, algunos en el fondo y otros en la parte trasera del contenedor. Siguiendo el condensador, el tubo saliendo al evaporador en el compartimento aislado, tiene un diámetro restringido de manera que el refrigerante entre el compresor y el tubo de restricción este bajo presión; esto incrementa la presión del evaporador de manera vuelve a ser líquido otra vez y deja salir calor. El calor sube de las bobinas del condensador debido a que es más ligero que el aire circundante y por lo tanto el aire enfriado se mueve a través del condensador para retirar más calor.

Este movimiento del aire se incrementa por la adición de un ventilador a través de las bobinas del condensador.

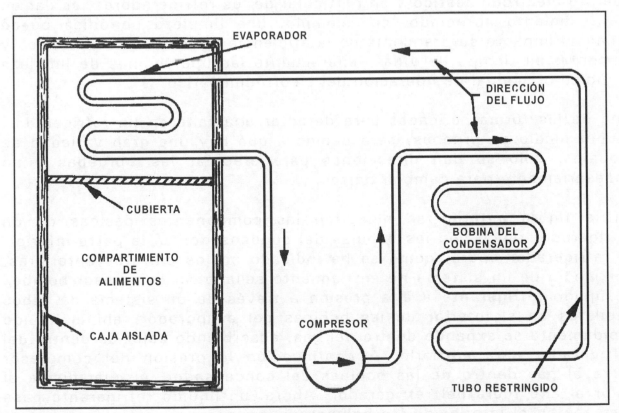

CIRCUITO BÁSICO DE UN REFRIGERADOR

La temperatura dentro del refrigerador está controlada por un termostato que es distinto de los bimetálicos que se usan en la mayoría de los aparatos electrodomésticos. El termostato del refrigerador tiene un bulbo sellado, que contiene una pequeña cantidad de refrigerante. Cuando la temperatura aumenta, el refrigerante se calienta y hace que el bulbo se expanda, cerrando un switch que controla al motor del compresor.

Cuando se arranca el compresor, el refrigerante en la camára sellada se contrae y el bulbo también se contrae, produciendo que el switch se abra, retirando de operación al compresor.

Cuando el compresor está fuera, la presión en los tubos delgados se iguala rápidamente, por lo tanto, cuando el motor del compresor se ha arrancado, hay una carga pequeña y entonces se puede usar un motor con un bajo par de arranque, que normalmente es de fase partida.

El primer paso para tener buenos resultados en la operación de un aparato electrodoméstico y en particular de los refrigeradores, es dar un mantenimiento apropiado, por ejemplo, una limpieza periódica puede tener un impacto sorprendente en la eficiencia de un electrodoméstico y aumentar su tiempo de vida, generalmente las operaciones de limpieza la indica el manual de operación del electrodoméstico.

Una de las formas eficaces para detectar una falla en un refrigerador, es por medio de pruebas, pero debido a que hay una gran variedad de modelos, sólo se dan direcciones para efectuar las pruebas y no necesariamente para cambiar partes.

En la figura anterior se muestran las componentes básicas de un refrigerador típico con las bobinas del condensador en la parte inferior. El refrigerador opera, como se ha indicado en los párrafos anteriores, por medio de un sistema de enfriamiento sellado, el compresor bombea el líquido refrigerante a alta presión a través de un sistema de tubos capilares en el interior de las bobinas del evaporador, ahí el líquido rápidamente se expande dentro del gas, absorbiendo calor de dentro del refrigerador para enfriarlo. A continuación la presión del compresor forza al gas dentro de las bobinas del condensador, el cual disipa el calor al aire fuera del refrigerador. Ahora, un líquido refrigerante pasa otra vez en el interior de las bobinas del evaporador, en la medida que el ciclo de calentamiento y enfriamiento continua.

Para resolver algunos problemas que se presentan, mediante el uso de herramientas comunes se puede diagnosticar y reparar en algunas ocasiones, aspectos como puntas pobremente selladas, el switch de la puesta, el ventilador del evaporador, el sistema de deshielo y los controles. En todos los casos se debe desconectar el refrigerador.

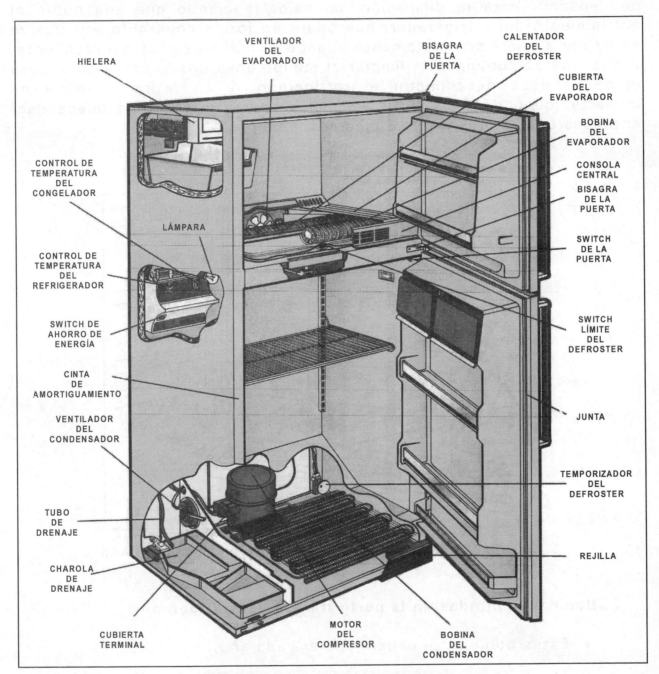

PARTES PRINCIPALES DE UN REFRIGERADOR

BOBINAS DEL CONDENSADOR.

1. Bobinas a nivel del piso.

La acumulación de suciedad y polvo limitan a las bobinas del condensador para la disipación del calor, haciendo que sea pobre el enfriamiento del refrigerador, que opere en forma constante e inclusive se llegue a parar completamente cuando el compresor se sobrecalienta, por lo que es conveniente limpiar al menos unas dos veces al año, para esto, se debe desconectar el refrigerador y se retira la rejilla de cubierta, cuando están localizadas en la parte inferior, se puede usar entonces una aspiradora para ejecutar la limpieza.

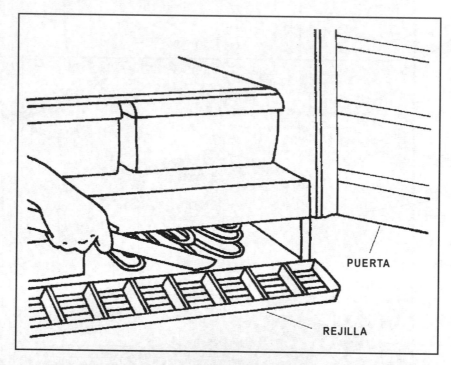

SE PUEDE USAR UNA ASPIRADORA PARA LIMPIAR LAS BOBINAS

2. Bobinas montadas en la parte trasera del refrigerador.

☛ Estas bobinas se deben limpiar cada año.

☛ Se debe desconectar el refrigerador y despegar de la pared donde se tiene instalado para poder tener acceso a las bobinas, se pueden:

▪ Limpiar las bobinas con un cepillo metálico que no sea duro o bien, si es posible tener acceso, con una aspiradora.

▪ Cuando se tiene suciedad o grasa muy adherida, entonces se lavan las bobinas con espuma de jabón y se cepillan con un cepillo blando, **se debe tener cuidado de que no caigan gotas de agua a otras partes del refrigerador.**

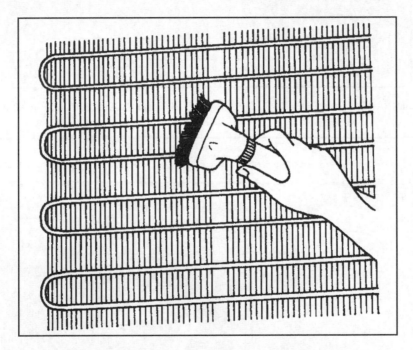

LAS BOBINAS DEL CONDENSADOR SE PUEDEN LOCALIZAR EN LA PARTE DE ATRÁS O DE ABAJO DE SU REFRIGERADOR

REPARACIÓN DE ELECTRODOMÉSTICOS MAYORES

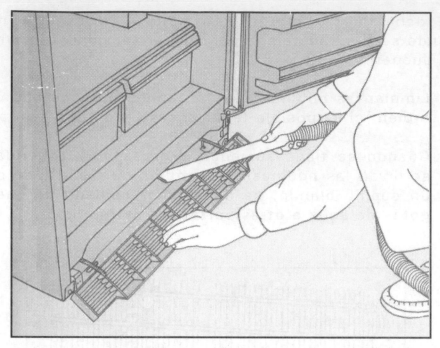

LIMPIANDO LAS BOBINAS EN LA PARTE INFERIOR CON UNA ASPIRADORA

LIMPIEZA DE LAS BOBINAS CON UN CEPILLO METÁLICO PARA RETIRAR EL POLVO ACUMULADO Y LA PELUZA

LIMPIEZA DE LAS BOBINAS DEL CONDENSADOR

LA PUERTA.

La forma de verificar que tan bien está sellada la puerta de un refrigerador, es muy sencilla, se coloca un billete contra la cinta de sellado y se cierra la puerta, si la junta de la puerta sella en forma apropiada, se siente tensión en la medida que se jala, esta operación se debe llevar a cabo alrededor de toda la puerta.

En caso de que no exista tensión, probablemente la junta esté floja, en cuyo caso se debe proceder a apretarla o bien se debe alinear, para esto se debe desconectar el refrigerador, generalmente se requiere de un ayudante que sostenga la puerta y se puedan retirar los tornillos para revisar el ajuste; en caso de ser necesario cambiar la junta, se procede de igual manera para quitar la junta vieja y colocar la nueva.

**EL EMPAQUE DEBE HACER CONTACTO PLENO C
ON EL REBORDE DEL GABINETE**

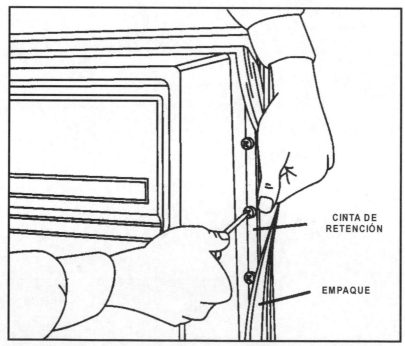

CINTA DE
RETENCIÓN

EMPAQUE

**RETIRAR EL EMPAQUE PARA TENER ACCESO A LA CINTA DE
RETENCIÓN A LOS TORNILLOS**

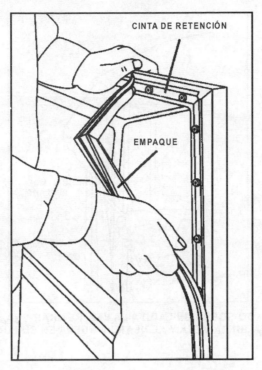

RETIRAR CUIDADOSAMENTE EL EMPAQUE DE MANERA QUE NO DAÑE EL REVESTIMIENTO INTERNO DE LA PUERTA

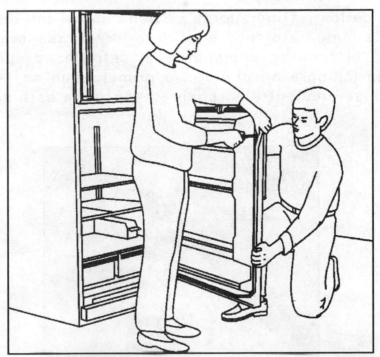

BUSCAR UN AYUDANTE QUE LE AYUDE A MANTENER LA PUERTA EN POSICIÓN DERECHA CUANDO APRIETE LOS TORNILLOS

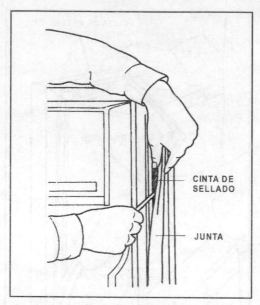

TRABAJANDO SOBRE UN LADO A LA VEZ, RETIRAR UNA SECCIÓN DE LA JUNTA VIEJA Y ALINEAR LA NUEVA EN SU LUGAR

VERIFICANDO LA LÁMPARA (FOCO).

En la mayoría de los refrigeradores se tiene un switch de puerta sencillo que controla la lámpara o foco en el interior, de manera que cuando se abre la puerta el foco se enciende y al cerrarla se apaga. Cuando se observa que la lámpara no prende, lo primero que se debe verificar es que la lámpara se encuentre en buen estado, para esto se procede como en la figura:

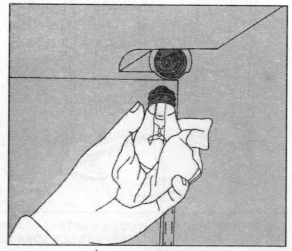

VERIFICANDO LA LÁMPARA INTERIOR DEL REFRIGERADOR

RETIRANDO EL SWITCH DE LA PUERTA DEL REFRIGERADOR.

En caso de que la lámpara interior se encuentre en buen estado, entonces es necesario revisar el switch de la puerta; para retirarlo, lo primero que se hace es desconectar el refrigerador.

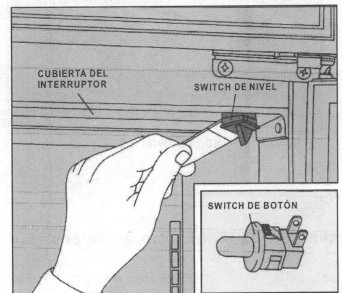

RETIRANDO EL SWITCH DE PUERTA PARA SU RECTIFICACIÓN
(PRIMERO SE DESCONECTA EL REFRIGERADOR)

DESCONECTANDO EL SWITCH DE LA PUERTA.

El switch de la puerta es relativamente fácil de retirar, simplemente se despega y se jala, retirando los conectores; si se encuentra que los conectores están corroidos o quemados, se deben cambiar.

REPARACIÓN DE ELECTRODOMÉSTICOS MAYORES

DESCONECTANDO EL SWITCH DE LA PUERTA

PROBANDO EL SWITCH

El switch se prueba con un multímetro en la posición de óhmetro, para esto:

☞ Se ajusta el multímetro en la posición R x 1.

☞ Si el switch tiene dos terminales se sujeta la punta de prueba a una terminal y se toca con la segunda punta de prueba a la otra terminal. Si el multímetro indica continuidad con el botón del switch en posición fuera y un circuito abierto con el botón en una posición **DENTRO**, se dice que el switch está en buen estado.

☞ Si falla la prueba, se debe cambiar el switch.

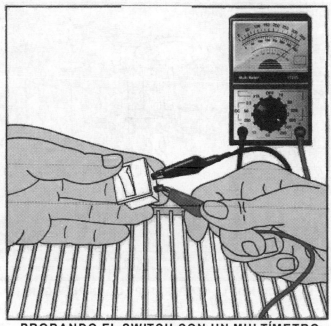

PROBANDO EL SWITCH CON UN MULTÍMETRO

CONTROLES DE TEMPERATURA.

1. Verificando temperaturas.

La temperatura ideal de un refrigerador debe estar entre 3.5 °C y 4.5 °C, y en la parte del congelador entre –17 °C y –13.5 °C, el procedimiento es el siguiente:

☞ Se coloca una taza de agua en el refrigerador y se deja durante 2 horas. Para el congelador, usar aceite de cocina.

☞ Colocar un termómetro de cocina en el líquido y esperar 3 minutos.

☞ Ajustar el control de temperatura de acuerdo a las lecturas. Si el problema persiste, probar el control de temperatura.

VERIFICACIÓN DE LA TEMPERATURA DE UN REFRIGERADOR

2. Retirar la perilla del control de temperatura.

☞ Se desconecta el refrigerador y se gira la perilla hacia la posición de más fría, en algunos casos, la perilla tiene un tornillo en el centro que se debe retirar.

☞ Se jala la perilla de su eje y se retira.

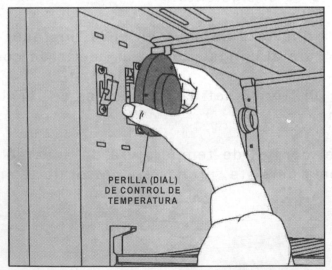

PARA RETIRAR LA PERILLA DE CONTROL DE TEMPERATURA,
SE DEBE DESCONECTAR EL REFRIGERADOR.

REPARACIÓN DE ELECTRODOMÉSTICOS MAYORES

3. Retirar el control de temperatura.

☛ Retirar los tornillos que aseguran al control de temperatura a la pared del refrigerador.

☛ Jalar el control, dejándolo unas cuantas pulgadas fuera los alambres .

☛ Tener cuidado de no dañar o doblar la línea capilar y jalar los conductores.

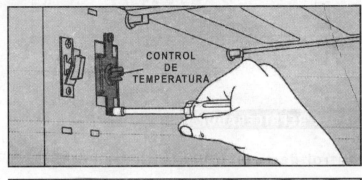

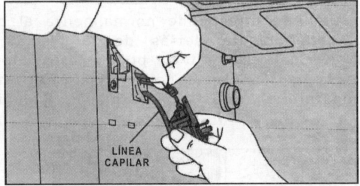

RETIRANDO EL CONTROL DE TEMPERATURA PARA SU RECTIFICACIÓN.

4. Probando el control de temperatura.

Con un probador de continuidad se fija o sujeta un lado con el caimán y se toca el otro con la punta de prueba. Si se coloca el control en la posición de FUERA, el probador no debe prender. Generalmente, el cambio de posición DENTRO-FUERA, se logra haciendo girar una perilla.

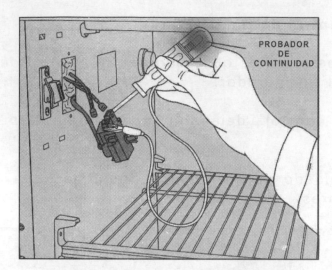

PROBANDO EL CONTROL DE LA TEMPERATURA
CON UN PROBADOR DE CONTINUIDAD.

CONTROL DE TIEMPO DEL REFRIGERADOR.

1. Retirando el control de tiempo del refrigerador.

Este control de tiempo corresponde normalmente al descongelador y está localizado generalmente detrás de la rejilla del frente del refrigerador. En forma alternativa, puede estar localizada en el compartimento del compresor en la parte trasera del refrigerador, en la consola del termostato o detrás de una placa de cubierta dentro del refrigerador.

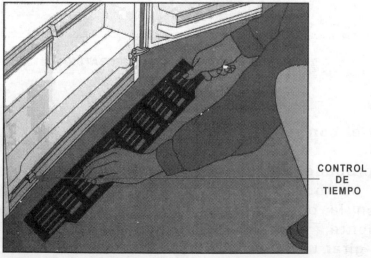

CONTROL
DE
TIEMPO

LOCALIZACIÓN DEL CONTROL DE TIEMPO DEL REFRIGERADOR

2. Desconexión de los alambres.

Después de desatornillar el control de tiempo del descongelador, cuidadosamente se debe retirar el enchufe del conector que está dentro del refrigerador. El enchufe o clavija está polarizada, de manera que no se puede reconectar el control de tiempo del descongelador en forma incorrecta.

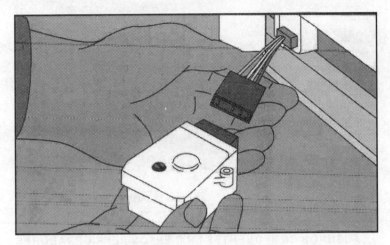

DESCONECTANDO DEL CONTROL DE TIEMPO DEL REFRIGERADOR

3. Probando el control de tiempo.

☛ Localizar la terminal común del control de tiempo, generalmente se encuentra conectada a un alambre blanco del enchufe del harness

☛ Colocar el multímetro en la escala R x 1.

☛ Colocar un punta del multímetro a la terminal común y hacer contacto con la otra punta a cada una de las otras tres terminales.

☛ Dos de estos pares de terminales deben tener completa continuidad, en tanto que el tercero no debe tenerla.

☛ Girar el switch del control de tiempo del defroster en el sentido de las manecillas del reloj hasta que se escuche un **click**.

☛ Probar el control de tiempo otra vez. Dos de los pares de terminales deben mostrar continuidad, no siendo el mismo par probado antes.

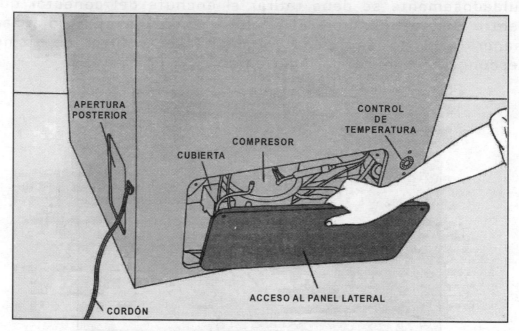

ALGUNOS COMPONENTES EN CIERTOS REFRIGERADORES
SE ENCUENTRAN EN LA PARTE POSTERIOR, POR DONDE SE DEBE TENER ACCESO.

☛ Si falla el control de tiempo en cualquiera de las pruebas, se debe cambiar.

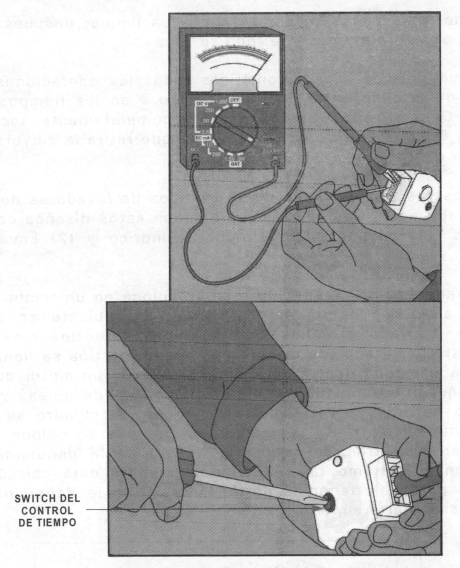

SWITCH DEL
CONTROL
DE TIEMPO

PROBANDO EL CONTROL DE TIEMPO DE UN REFRIGERADOR

6.9	REPARACIÓN DE LAVADORAS DE ROPA.

El proceso de lavado de ropa involucra muchas operaciones distintas y separadas, primero la ropa se debe remojar para aflojar la suciedad tanto como sea posible, el agua de jabón sucia se debe retirar y agresar agua limpia, después toma lugar una cierta acción de movimiento oscilatorio de manera que se mueve la ropa hacia un lado y hacia otro, este movimiento es simílar al que se hace cuando se lava la ropa a mano, para asegurar que el detergente o jabón penetra a todas las partes de la ropa. El agua se retira y es seguida por uno o más enjuagues con agua limpia, después del último enjuague, se retira el agua y la ropa se seca.

En las lavadoras de ropa automáticas todas las operaciones descritas antes se desarrollan en el orden apropiado y en los tiempos indicados también. Generalmente la ropa no sale completamente seca, pero la operación final es un giro o vuelta rápida que retira la mayoría del agua por fuerza centrífuga.

Los fabricantes han diseñado distintos tipos de lavadoras de ropa para llevar a cabo estas operaciones, pero todos estos diseños caen en dos categorías: **(1)** Lavadoras con tambor cilíndrico y **(2)** Lavadoras con agitador.

En las lavadoras tipo cilindro, la ropa se coloca en un tambor cilíndrico que gira alrededor de un eje horizontal. El gabinete en el cual se encuentra montado el cilindro es esencialmente una tina fija y el cilindro está perforado, de manera que cuando la tina se llena de agua, esta rodea a la ropa dentro del cilindro; se tiene un motor que acciona la tina y que fue acoplado al cilindro por medio de poleas y bandas o por medio de engranes. La puerta de acceso al cilindro se encuentra normalmente en el frente del gabinete y la ropa se coloca dentro del cilindro, en el extremo del mismo, a esto se le denomina **máquina cargada en el extremo** (a) . Cuando el cilindro está cerrado por los extremos, pero abierta en la parte superior, se le denomina **máquina cargada por la parte superior** (b).

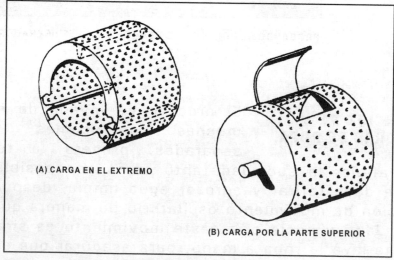

(A) CARGA EN EL EXTREMO

(B) CARGA POR LA PARTE SUPERIOR

LAVADORA TIPO CILÍNDRICO

LA LAVADORA TIPO AGITADOR tiene una canasta perforada montada sobre un eje vertical, que reemplaza al tambor cilíndrico, ahora el agitador está colocado en el centro. El motor impulsor fue acoplado a la canasta, al agitador o a la bomba de drenaje cuando es requerido.

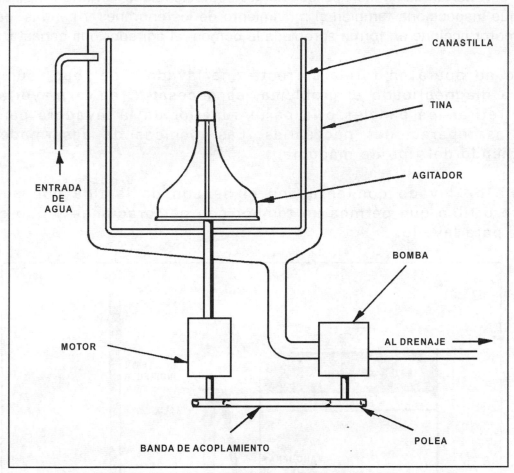

CORTE DE UNA LAVADORA DE ROPA TIPO AGITADOR

En ambos tipos de lavadora, un control de tiempo (timer) o temporizador controla la operación, éste puede ser un motor de reloj o en ciertos casos un control digital. En primer término, las válvulas de entrada están abiertas, de manera que entre agua caliente, fría o una mezcla, después, de un intervalo de tiempo predeterminado, las válvulas de entrada están cerradas y la ropa es **agitada**. La lavadora tipo agitador se mueve hacia atrás y hacia adelante sobre su eje de manera que la ropa sea movida alrededor del agua. El enjabonado y agitación puede tomar de 10 a 12 minutos, entonces, el agua se gira hacia el exterior por rotación de la canasta o el cilindro a alta velocidad y la bomba vacia el agua fuera de la tina. Para esta operación se abre la válvula de drenaje y se vuelve a cerrar cuando termina, esto es seguido por más operaciones de llenado y agitado, finalmente la ropa es volteada y se apaga todo. Las válvulas de entrada y de drenaje son de las llamadas tipo solenoide. Los solenoides están controlados por el timer, que inspecciona también el movimiento de los engranes y bandas, de manera que el motor accione en forma apropiada la bomba, el agitador o la canasta.

Cuando no opera en forma correcta una lavadora de ropa, aún cuando se haya diagnósticado el problema, es necesario, en la mayoría de los casos, retirar los paneles o la parte superior de la lavadora para poder hacer las reparaciones necesarias. Las técnicas de desarmado varían dependiendo del tipo de máquina.

Un ciclo de lavado comienza con el llenado de la tina con agua fría, caliente o tibia que permea un tambor con perforaciones y que contiene la ropa para lavado.

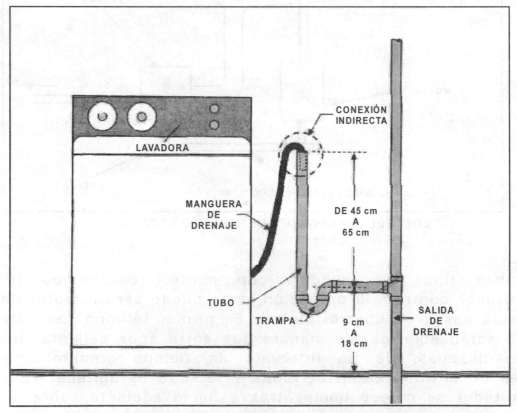

INSTALACIÓN DE LAVADORA DE ROPA

Para todas las similaridades entre los modelos en uso actualmente, las lavadoras de ropa difieren en como el motor está conectado al agitador y al tambor de movimiento. En las de accionamiento directo las componentes están conectadas directamente al eje del motor a través de baleros y engranes, en las lavadoras que son impulsadas por motor a base de bandas y poleas, la potencia se transmite al agitador por medio de poleas y bandas.

ACCESO A LAS LAVADORAS DE ROPA CON ACCIONAMIENTO DIRECTO.

Cualquier trabajo de revisión para reparación o mantenimiento de una lavadora requiere que se tenga la posibilidad de acceso a la lavadora, un procedimiento que se puede seguir es el mostrado a continuación:

LAVADORA Y SECADORA

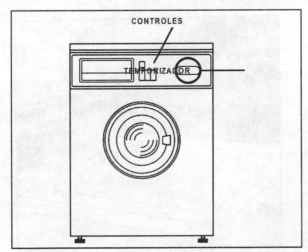

LAVADORA AUTOMÁTICA CON CARGA AL FRENTE

REPARACIÓN DE ELECTRODOMÉSTICOS MAYORES

1. Quitando los tornillos de la consola de una lavadora.

   ☛ Desconectar la alimentación a la lavadora.

   ☛ Retirar los tornillos de retención de las esquinas de la consola, algunas veces los tornillos pueden estar cubiertos por alguna cinta adhesiva. Ciertas lavadoras pueden tener tornillos en la parte superior o en la parte trasera de la consola.

QUITANDO LOS TORNILLOS DE LA CONSOLA DE UNA LAVADORA

2. Levantando hacia atrás la consola de control. Levantar la consola hacia atrás para que quede expuesto el control de tiempo TIMER, el switch del nivel de agua, el switch de temperatura del agua y el switch selector del ciclo de trabajo.

LEVANTANDO HACIA A TRAS LA CONSOLA DE CONTROL

3. Retirando los seguros del gabinete.

☞ Con un desarmador, levantar y retirar los dos seguros de retención sobre cada lado de la lavadora. Para hacer esto, se apalanca el desarmador dentro del seguro, abriendo y conservándolo. A continuación, se empuja el desarmador normalmente para retirar el seguro.

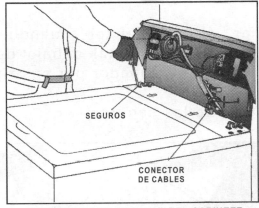

RETIRANDO LOS SEGUROS DEL GABINETE

4. Quitando las conexiones de la consola de una lavadora (retirando el harness).

☞ Jalar el enchufe del alambrado (arnés) para desconectar la consola de control de la caja de la lavadora. En caso de ser necesario, usar un desarmador.

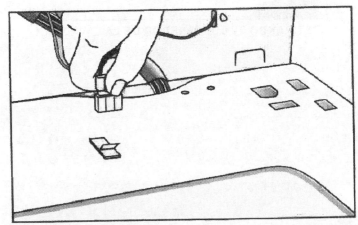

QUITANDO LAS CONEXIONES DE LA CONSOLA DE UNA LAVADORA

REPARACIÓN DE ELECTRODOMÉSTICOS MAYORES

5. Retirando el contenedor o caja de la lavadora.

☞ Mover, jalando el contenedor hacia el frente a un ángulo de unos 45 grados para destrabar los seguros de la lavadora en el frente.

☞ Manteniendo el ángulo de 45 grados, jalar el contenedor en línea recta fuera de su base.

☞ Para reinstalar el contenedor cuando la reparación está completa se jala el filo frontal debajo del botón del frente y entonces se corre el contenedor por sus rieles.

☞ Colocar nuevamente los seguros.

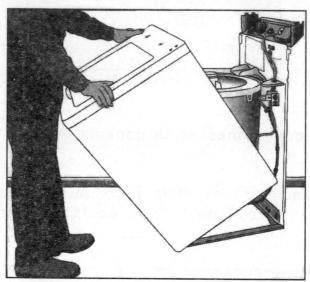

RETIRANDO EL CONTENEDOR DE LA LAVADORA

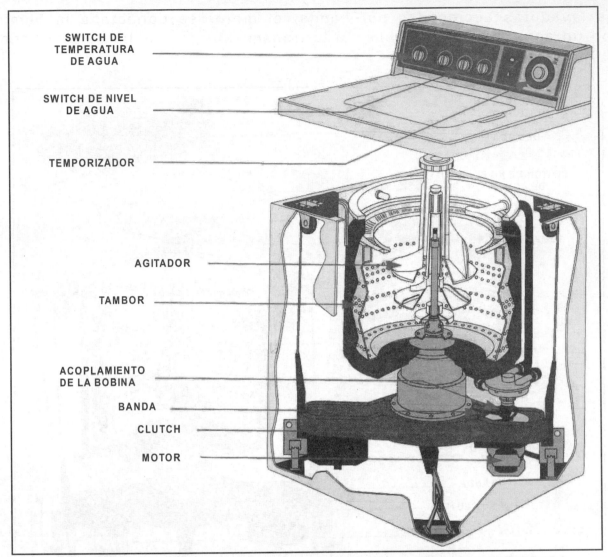

SWITCH DE
TEMPERATURA
DE AGUA

SWITCH DE NIVEL
DE AGUA

TEMPORIZADOR

AGITADOR

TAMBOR

ACOPLAMIENTO
DE LA BOBINA

BANDA

CLUTCH

MOTOR

PARTES O ANATOMÍA DE UNA LAVADORA DE ROPA ACCIONADA POR BANDA

ACCESO A LAS LAVADORAS ACCIONADAS POR POLEA Y BANDA.

ANATOMÍA DE UNA LAVADORA ACCIONADA POR BANDA Y POLEA

En la siguiente figura, se muestran las partes principales de uno de los tipos más comunes de lavadoras de ropa con accionamiento de banda y polea. La mayoría de estas partes son similares a aquellas de las que usan las lavadoras de accionamiento directo y, de hecho, se encuentran en posiciones similares; sin embargo, el ensamble *motor-transmisión-bomba* es de alguna manera diferente. En las lavadoras accionadas por banda, el motor se conecta a la bomba con un acoplamiento flexible y a la transmisión por medio de una banda de hule.

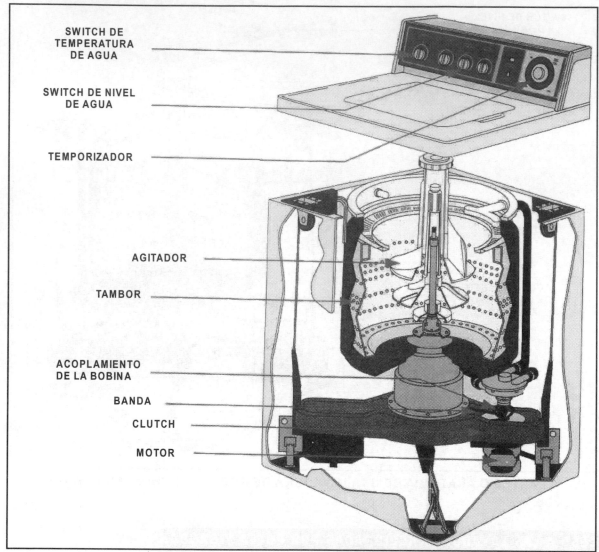

SWITCH DE
TEMPERATURA
DE AGUA

SWITCH DE NIVEL
DE AGUA

TEMPORIZADOR

AGITADOR

TAMBOR

ACOPLAMIENTO
DE LA BOBINA

BANDA

CLUTCH

MOTOR

PARTES O ANATOMÍA DE UNA LAVADORA DE ROPA ACCIONADA POR BANDA

ACCESO A LA LAVADORA A TRAVÉS DE LA PARTE SUPERIOR.

Se quitan las cintas que adhieren la tapa con una navaja, que se desliza entre la parte superior o tapa y el gabinete, después se empuja ligeramente para destrabar los seguros de los dos resortes que fijan la tapa de la lavadora, en algunas lavadoras los seguros se encuentran por los lados.

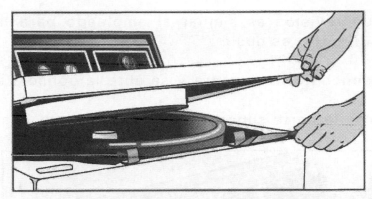

ACCESO A LA LAVADORA POR LA PARTE SUPERIOR

ACCESO A TRAVÉS DE LA PARTE TRASERA.

En las lavadoras accionadas por polea y banda, se puede exponer el motor, la bomba y la válvula de entrada de agua, así como la banda, retirando el panel de la parte trasera.

- ☛ Quitar el enchufe de la lavadora y desconectar las mangueras del suministro de agua, retirando la lavadora de la pared.

- ☛ Con un desarmador de dados, retirar los tornillos que aseguran el panel trasero.

- ☛ Retirar el panel.

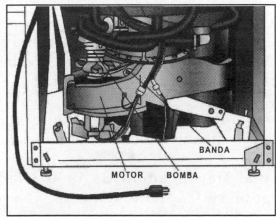

ACCESO A TRAVÉS DE LA PARTE TRASERA

ENSAMBLE DEL SWITCH DEL NIVEL DE AGUA.

Este proceso de revisión es similar al empleado para las lavadoras de accionamiento directo, es decir:

☛ Se desenchufa la lavadora y se abre la consola de control.

☛ Se retira la parte superior, en caso de ser necesario.

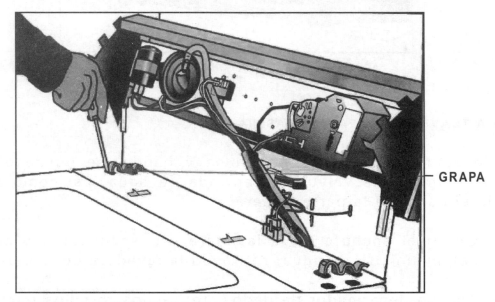

GRAPA

QUITANDO LOS TORNILLOS DE LA CONSOLA DE UNA LAVADORA

AGITADOR Y TINA.

1. Retirando la tapa del agitador. Si la lavadora tuerce la ropa excesivamente, se debe desensamblar e inspeccionar el ensamble del agitador. También es necesario retirar el agitador para inspeccionar las posibles fugas en la tina.

2. Se levanta el retenedor blando del dispersor, cuando exista, del centro del agitador, usando un desarmador.

3. Las lavadoras que tienen anillo de hule usado como sello, al ser retirado el agitador se les debe cambiar.

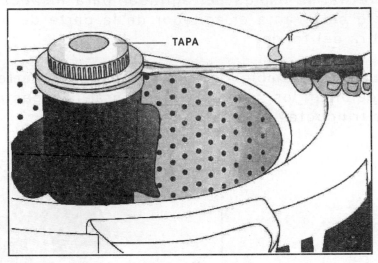

RETIRANDO LA TAPA

QUITANDO EL TORNILLO DEL AGITADOR.

Usando una llave de astrias y una extensión ,se retira el tornillo que asegura al agitador.

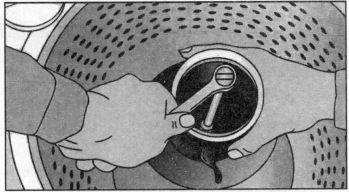

QUITANDO EL TORNILLO DEL AGITADOR

LEVANTANDO EL AGITADOR.

Si los trinquetes del agitador están desgastados, el agitador se moverá en una sola dirección, torciendo la ropa y haciendo el proceso de lavado menos efectivo.

☛ Para retirar la espiga del agitador para inspección del tambor, primero se levanta el agitador de la parte de arriba y después se retira del fondo.

☛ Se jala el ensamble del embrague de la parte superior y se inspeccionan los trinquetes, si están desgastados, se deben poner trinquetes nuevos.

ENSAMBLE DEL EMBRAGUE

TRINQUETE

LEVANTANDO EL AGITADOR

RETIRANDO EL TAMBOR CON PERFORACIONES.

El daño a las tinas de las lavadoras, se produce con frecuencia por el contacto con la flecha del tambor, cuando la carga de ropa está desbalanceada.

☛ Cuidadosamente levante ligeramente la flecha del tambor por la parte de atrás y dar al tambor una rotación de medio giro y balancear el tambor ligeramente para despegar cualquier residuo de jabón que pueda producir que se atore.

☞ Levantar el tambor con perforaciones y retirarlo de la tina, para inspeccionar el interior de la tina para localizar signos de fractura o raspaduras.

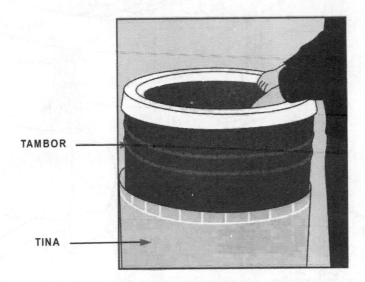

TAMBOR ————

TINA ————

RETIRANDO E INSTALANDO UNA NUEVA BANDA PARA RETIRAR LA BANDA.

☞ Desconectar la lavadora, retirar el panel trasero y aflojar los tornillos arriba y debajo de la bomba para poder mover el acoplamiento.

☞ Se retira la banda de cada polea y se saca de la máquina.

PARA INSTALAR UNA NUEVA BANDA.

☞ Colocar la banda nueva alrededor de las poleas de acoplamiento y mantenerlas alrededor de las poleas, si se atora la banda, se gira la polea de transmisión en forma manual.

☞ Se reinstala el acoplamiento y se aprietan los tornillos.

☞ Se sujeta la banda con el dedo pulgar para calibrar su tensión y se aprietan en definitiva los tornillos.

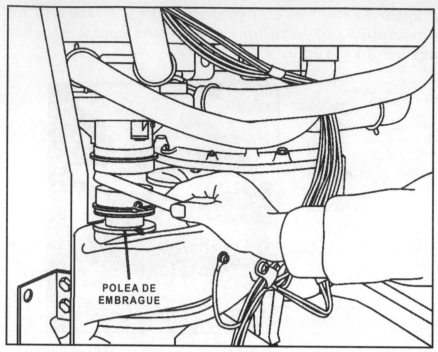

DESLIZAMIENTO DE LA CORREA SOBRE LA POLEA DEL MOTOR

POLEA DE
EMBRAGUE

6.10 LAVAVAJILLAS O LAVAPLATOS. En una lavavajillas eléctrica automática, el agua caliente y el detergente son rociados sobre los platos sucios, esto se hace con suficiente fuerza como para despegar las partículas de alimentos, después, los platos se enjuagan en agua caliente limpia, el proceso se repite y después de varias limpiezas, un elemento de calefacción interior se pone en posición DENTRO (ON) y seca los platos. Una vez que la lavavajillas se arranca, cada proceso en el ciclo de lavado está controlado automáticamente por un timer.

Las lavavajillas se pueden instalar en forma fija dentro de un gabinete en las cocinas, o bien pueden ser portátiles montadas sobre base con ruedas para ser movida cerca de la tarja o lavabo de la cocina cuando se requiera y después ser retirada cuando sea necesario, por medio de las ruedas.

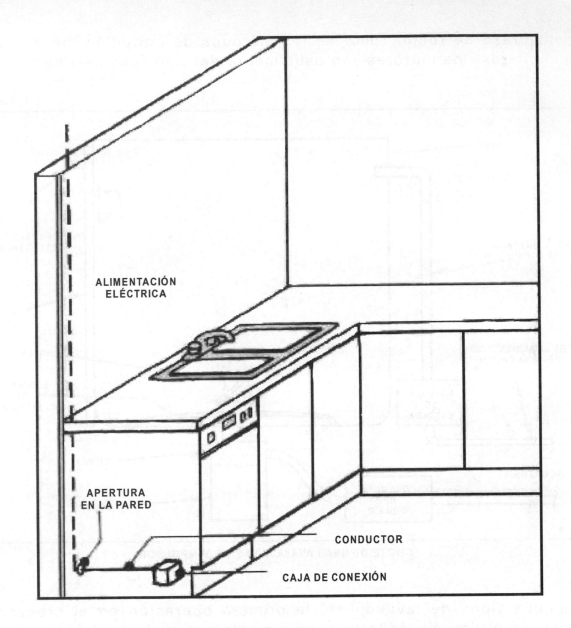

ALIMENTACIÓN ELÉCTRICA A UNA LAVAVAJILLAS

Algunos modelos, especialmente portátiles, se cargan por la parte superior, pero los modelos fijos, que están fijos en un sitio, tienen por lo general una puerta lateral con bisagras, éstas últimas tienen normalmente un bloqueo de la puerta o un switch que desconecta la lavavajillas cuando la puerta está abierta.

La agitación del agua dentro de la lavavajillas se proporciona por cualquiera de las formas siguientes: **por medio de un impulsor, o bien**

por un brazo de rocío, fuera de los métodos de agitación los dos tipos son similares, los motores son usualmente del tipo fase partida.

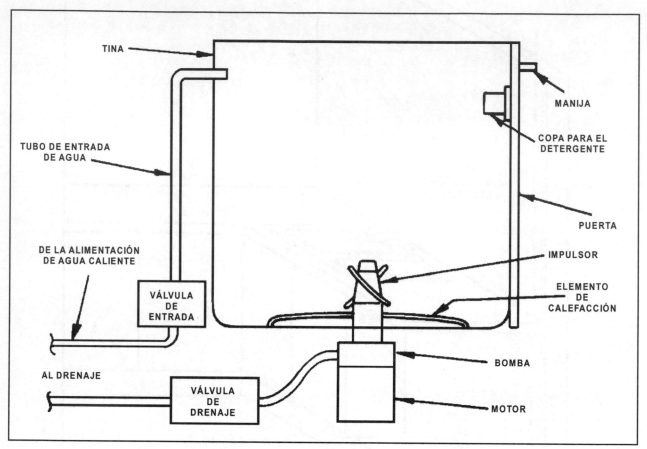

TINA

MANIJA

TUBO DE ENTRADA DE AGUA

COPA PARA EL DETERGENTE

PUERTA

DE LA ALIMENTACIÓN DE AGUA CALIENTE

IMPULSOR

ELEMENTO DE CALEFACCIÓN

VÁLVULA DE ENTRADA

BOMBA

AL DRENAJE

VÁLVULA DE DRENAJE

MOTOR

CORTE DE UNA LAVAVAJILLAS TIPO IMPULSOR

En ambos tipos de lavavajillas, la primera operación en el proceso de lavado, es el drenaje de la tina, en caso de que se halla dejado agua del ciclo anterior. Todos los pasos son controlados por el **timer**, la válvula de drenaje está abierta y la bomba de drenado succionará agua hacia el exterior y la envía al drenaje.

En la figura anterior, correspondiente a la lavadora tipo impulsor, se muestra un sólo motor acoplado a la bomba, mientras que en la siguiente figura correspondiente a una lavavajillas tipo brazo de aspersión, se muestran dos motores: uno para operar la bomba de drenaje y el otro para accionar la bomba de circulación.

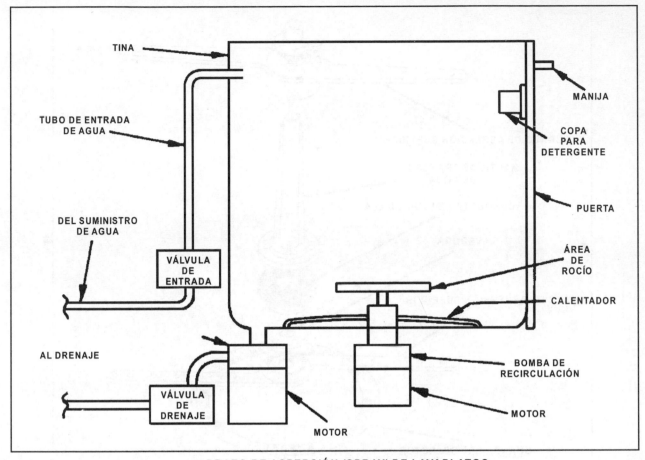

TINA

TUBO DE ENTRADA
DE AGUA

DEL SUMINISTRO
DE AGUA

VÁLVULA
DE
ENTRADA

AL DRENAJE

VÁLVULA
DE
DRENAJE

MOTOR

MANIJA

COPA
PARA
DETERGENTE

PUERTA

ÁREA
DE
ROCÍO

CALENTADOR

BOMBA DE
RECIRCULACIÓN

MOTOR

BRAZO DE ASPERSIÓN (SPRAY) DE LAVAPLATOS

REPARACIÓN DE ELECTRODOMÉSTICOS MAYORES

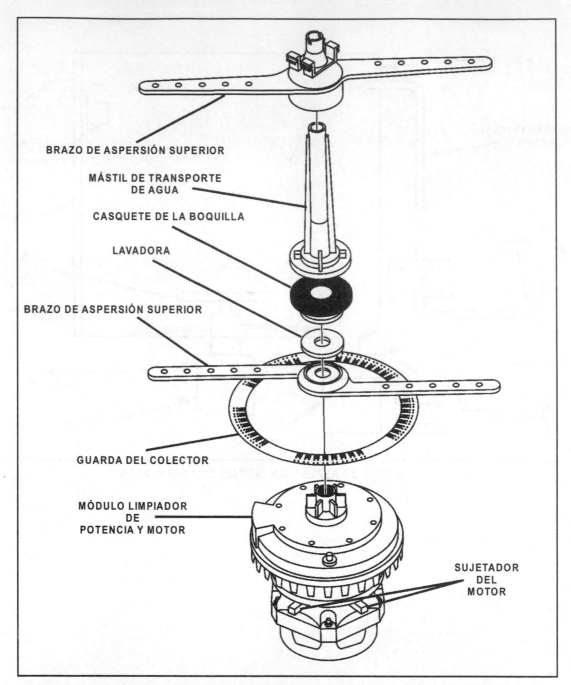

BRAZO DE ASPERSIÓN SUPERIOR

MÁSTIL DE TRANSPORTE DE AGUA

CASQUETE DE LA BOQUILLA

LAVADORA

BRAZO DE ASPERSIÓN SUPERIOR

GUARDA DEL COLECTOR

MÓDULO LIMPIADOR DE POTENCIA Y MOTOR

SUJETADOR DEL MOTOR

COMPONENTES DEL DISPOSITIVO MOTOR / BOMBA DE UNA LAVAVAJILLAS

Las dos bombas se requieren sobre el brazo de rocío de la lavavajillas, aún cuando se use un motor y un sistema de engranes y embragues. El drenaje se lleva por lo general menos de 1 minuto.

REPARACIÓN DE ELECTRODOMÉSTICOS MAYORES

Después de la operación de drenado, se cierra la válvula de drenaje y la válvula de entrada de agua se abre, esta válvula se encuentra en la línea de agua caliente. El agua debe estar entre 60 y 70 °C para que tenga la lavadora de vajillas un desempeño apropiado.

El agua entra cerca de la parte superior de la tina, aún cuando la válvula de entrada está localizada usualmente debajo de la tina, cercana al motor. Durante la operación de llenado, el motor o los motores están usualmente en reposo, la válvula de entrada permanece abierta por un intervalo de tiempo dado o ajustado por el TIMER.

La cantidad de agua que entra, es función de la presión de la misma, de manera que si se tiene mucha presión, puede entrar bastante agua y provocar fugas en las juntas de la puerta, para prevenir esto, muchos modelos de lavavajillas tienen también una válvula de flotador que está en serie con la válvula de entrada y cierra cuando el agua alcanza su máximo nivel permisible. No puede entrar más agua, aún cuando la válvula de entrada permanezca abierta para el intervalo de tiempo total ajustado por el timer.

Después de que la válvula de entrada cierra, debe haber alrededor de tres cuartos de agua caliente en la tina, aquí es donde los dos tipos de lavadoras difieren ligeramente en su operación. En la de tipo impulsor, el nivel de agua está sobre el nivel de la parte superior del impulsor. En la lavavajillas de brazo de aspersión, el nivel del agua está debajo del brazo de rocío, la bomba de recirculación lleva el agua a través del brazo de rocío y la saca abriendo el brazo. Debido a que estas aperturas están desajustadas, el brazo se revuelve y rocía todo sobre el interior y mezcla con detergente; sólo en la del tipo impulsor. Al cabo de un tiempo de cinco o seis minutos, la bomba de recirculación se desconecta y la bomba de drenaje arranca para drenar el agua hacia el exterior.

Entra el agua limpia y la operación de enjuague tiene lugar, de modo que ahora la copa de detergente está vacía, esto lleva de tres a cinco minutos.

Una de las actividades más comunes en el mantenimiento de las lavavajillas es el cambio de las mangueras de drenaje, para esto, se procede como se indica en las siguientes figuras, iniciando con la desconexión de la lavadora y del suministro de agua, para poder retirar las mangueras llenas.

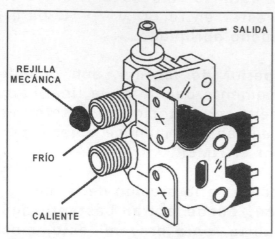

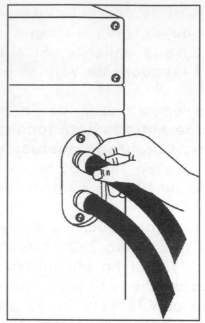

UNA VÁLVULA DE AGUA TÍPICA EMPLEADA
EN LAVADORAS AUTOMÁTICAS

DESCONECTE EL SUMINISTRO DE AGUA
Y QUITE LAS MANGUERAS LLENAS.

Para cambiar una manguera rota o desgastada, se usan unas pinzas para deslizar las abrazaderas que conectan a la bomba y se jalan.

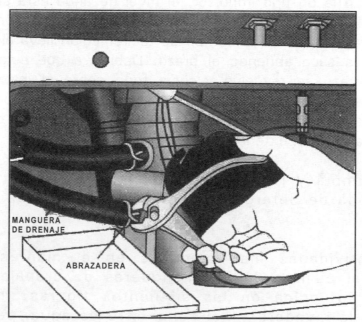

CAMBIO DE LA MANGUERA DE DRENAJE

Otro aspecto a considerar en el mantenimiento es la revisión del brazo de aspersión o de rocío, para esto, se procede como sigue:

☛ Se desconecta la lavavajillas y se desliza hacia fuera el rack de platos inferior. Se gira el brazo de aspersión para observar si se mueve libremente, los extremos del brazo se deben mover ligeramente hacia arriba y hacia abajo. Este procedimiento se repite sobre la parte superior del brazo.

☛ También se jala hacia arriba sobre la torrre de rocío para observar que la parte telescópica se mueva libremente. En caso de que esto no ocurra, se debe cambiar la torre o mástil.

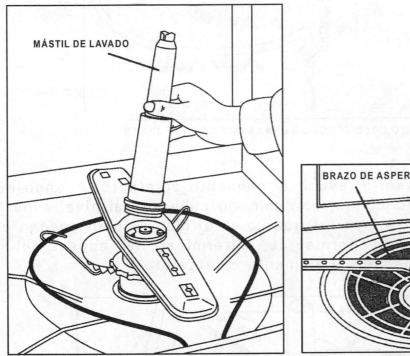
MÁSTIL DE LAVADO

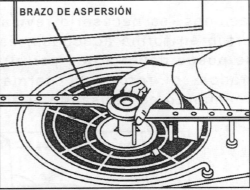
BRAZO DE ASPERSIÓN

RETIRO DEL MÁSTIL DE LAVADO Y DEL DISPOSITIVO DEL BRAZO DE ASPERSIÓN DE UNA LAVADORA DE VAJILLAS

Después de que el enjuague se ha dado o drenado, se abre una segunda copa de detergente y se inicia otra operación de lavado, que puede durar unos 15 minutos. El agua sucia se retira y pueden seguir dos o tres operaciones más de enjuague con agua limpia.

Finalmente, toda el agua se va al drenaje y se para el motor, en esta fase interviene el calentador eléctrico para secar los platos, por esta razón, si se abre la puerta de la lavavajillas inmediatamente después de terminar el ciclo de lavado, **no se debe tocar el elemento calefactor**, ya que permanece caliente.

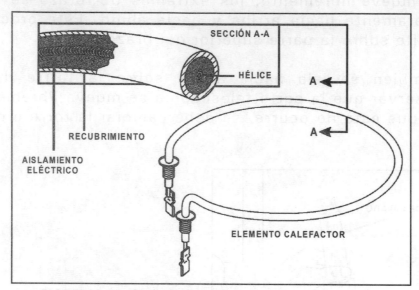

SECCIÓN A-A

HÉLICE

RECUBRIMIENTO

AISLAMIENTO
ELÉCTRICO

ELEMENTO CALEFACTOR

ELEMENTO CALEFACTOR DE UNA LAVADORA DE VAJILLAS

En ocasiones, es necesario revisar el elemento calefactor cuando no se comportan en forma adecuada, es decir, no calientan al nivel esperado; esto se puede deber a que por el trabajo se aflojen, o bien pueden estar fracturados o rotos, la forma de determinar la causa del mal funcionamiento es revisando el elemento calefactor.

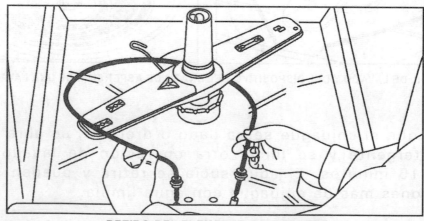

RETIRO DEL ELEMENTO CALEFACTOR

Finalmente, se puede presentar el caso de que el motor impulsor no opere correctamente, es decir, que no arranque. Para esto, primero se verifica que el switch del timer esté bien, probando continuidad, si esto está correcto, se revisa el motor para determinar si no hay conexiones a tierra, finalmente, si es necesario, se retira el motor para una revisión más detallada.

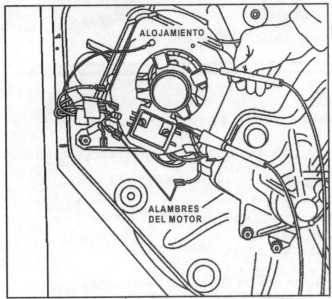

VERIFICACIÓN DE LA TIERRA DEL MOTOR

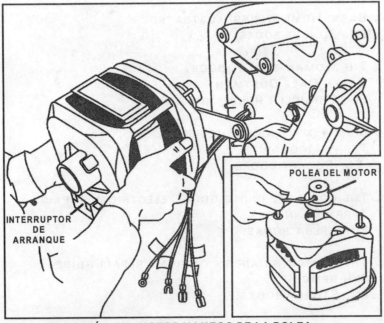

REMOCIÓN DEL MOTOR Y LUEGO DE LA POLEA

BIBLIOGRAFÍA

1. READER'S DIGEST. BOOK OF SKILLS AND TOOLS.

2. ELECTRICITY AND ELECTRICAL APPLIANCES HANDBOOK.
   JEANETTE T. ADAMS.
   ED. ARCO.

3. APPLIANCE REPAIR.
   DENNIS CAPRIO
   ED. RESTON BOOKS.

4. THE HOME REPAIR EMERGENCY HANDBOOK.
   GENE L. SCHNACER.
   ED, GALAHAD BOOKS.

5. BASIC HOME WIRING ILUSTRATED.
   ED. SUNSET BOOKS.

6. THE WOMAN'S FIX IT BOOK.
   KAREN DALE DUSTMAN
   ED. CHAUDLER HOUSE PRESS.

7. MRS. FIX IT EASY HOME REPAIR.
   TERRY MCGRAW
    ED. POCKET BOOKS.

8. THE COMPLETE IDIOTS GUIDE, ELECTRICAL RAPAIR.
   TERRY MEANG
   ED. APLHA BOOKS.

9. THE WOMAN'S HANDS - ON HOME REPAIR GUIDE.
   JYN HEMCK
   ED. STOREY BOOKS.

10. STEP-BY-STEP WIRING.
    ED. BETTER HOMES AND GARDENS.

11. WIRING BASIC AND ADVANCED PROJECTS.
    ED. CREATIVE HOME OWNER.

12. ADVANCED WIRING.
    ED. TIME-LIFE BOOKS.

13. OLD ELECTRICAL WIRING.
    DAVID E. SHAPHIRO
    ED. McGRAW HILL

14. HOW TO REPAIR ELECTRICAL APPLIANCES.
    GERSHAN J. WHEELER.
    ED. RESTON BOOKS

15. ELECTRICAL REPAIRS MADE EASY
    PETER JONES
    ED. BUTTERC BOOKS.

16. SIMPLIFIED HOME APPLIANCE REPAIRS.
    DAN BROWNE
    ED. HOLT RINEHART WINSTON

17. THE NEW COMPLETE GUIDE TO HOME REPAIR.
    ED. MEREDITH BOOKS AND ED. BETTER HOME AND GARDENS.

18. HOME IMPROVEMENT 1-2-3.
    ED. MEREDITH BOOKS.

19. THE NEW YORK TIMES.
    NEW COMPLETE GUIDE TO HOME REPAIR.
    BERNARD GLADSTONE.
    ED. QUADRANGLE.

20. ELECTRICAL, PLUMBING, INSULATION AND THE INTERIOR.
    CARSON DUNLOP & ASSOCIATES.
    ED. STODDART.

21. SIMPLIFIED HOME APPLIANCE REPAIRS.
    DAN BROWNE.
    ED. HOLT RINEHART WINSTON.

22. FIX YOUR MAJOR APPLIANCES.
    TIME LIFE BOOKS..

LA EDICIÓN, COMPOSICIÓN, DISEÑO E IMPRESIÓN DE ESTA OBRA FUERON REALIZADOS
BAJO LA SUPERVISIÓN DE GRUPO NORIEGA EDITORES.
BALDERAS 95, COL. CENTRO. MÉXICO, D.F. C.P. 06040
1232750000405544DP9241I